Boeken van Erwin Mortier bij Meulenhoff

Marcel. Roman
Mijn tweede huid. Roman

Erwin Mortier

MIJN TWEEDE HUID

ROMAN

Meulenhoff Amsterdam

Eerste druk, in gebonden editie, september 2000
Tweede druk september 2000

Copyright © 2000 Erwin Mortier
en J.M. Meulenhoff bv, Amsterdam
Omslagillustratie Quinten Matsys, 'Maria met Kind' (detail),
Museum Boijmans Van Beuningen, Rotterdam
Vormgeving omslag Neno
Vormgeving binnenwerk Brigitte Slangen
Foto achterzijde omslag Lieve Blancquaert

Meulenhoff Editie 1814
www.meulenhoff.nl
ISBN 90 290 6723 3 / NUGI 300

I

I

Het was in de tijd voor ik echt kon spreken. Bijna niets had een naam, alles was lichaam. Staande voor de spiegel dreef mijn vader het scheermes over zijn wangen, rekte zijn hals en legde met zachte halen zijn adamsappel bloot. Nauwgezet hield hij vanonder zijn wimpers zichzelf in het oog, de welving van zijn bovenlip, zijn onderlip, zijn kin.

Zijn kamerjas had hij los om zijn schouders geslagen. Achter zijn rug, in het bad, deinde ik nog na op de golfslag die hij had achtergelaten toen hij opstond en het water met zich mee trok.

De vrome stilte tussen hem en zijn spiegelbeeld maakte de dingen ongekend helder. Nog even scherp als toen zie ik het natte haar dat op zijn schenen samenklitte. In de spiegel, boven zijn slapende geslacht en zijn melkwitte buik, klom een breder wordend spoor van krulhaar uit zijn navel op naar de ondiepte in zijn borst, waar ik zijn hart zag slaan.

Het bad had hij ruim halfvol laten lopen. Hij had vlokken zeep in het water gestrooid en de bitterheid uit mijn ogen gespoeld toen hij mijn haren waste.

Eenmaal gladgeschoren goot hij gulpen water over zijn gezicht, draaide zich om en stak zijn armen naar me uit.

'Hef je armpkens op,' zei hij.

Gewichtloos hing ik in zijn handen. Ik wankelde in al

mijn gewrichten toen hij met een schone handdoek om mijn oren woelde en mijn kruin droogwreef. Ik klampte me vast aan zijn kuiten.

Wijdbeens op de dichtgeklapte plee wachtte hij tot ik was uitgeduizeld, nam mijn vingers in de zijne en streek met de rug van zijn duim over mijn nagels.

'Eens zien,' zei hij, 'of 't er nog altijd tien zijn.' En of er geen vuile randen onder zaten.

Dan gordde hij me eindelijk mijn eigen badjas om en trok de deur voor me open.

Prinselijk stapte ik naar buiten, de donkere gang in. Voor mij uit, langs deuren waarachter kamers sluimerden, kroop de gang door het huis. Sommige kamers kende ik, andere niet. Links de deur naar de keldertrap met zijn vochtige, bakstenen treden waarop ziltkristallen glinsterden. Rechts de speelkamer, de blokkendoos en de poppen die ik nooit vertrouwde omdat ze altijd bleven zitten, ook wanneer ik even niet keek.

Er was nog zoveel ongedoopt. Al wat woordloos bleef, was veel te heidens en heftig om ongemoeid te laten. Alles waar ik bij kon moest ik bevingeren.

Ik kon de keuken ruiken, geur van gootsteen, en van hammen, in geruite zakken aan haken onder de balken.

Iemand riep mijn naam. Uit de schaduw onder de schouw, naast de kachel, maakte zich een hand los die vluchtig mijn wangen aaide, maar ik liep verder, en aan de andere kant van de kachel, ik hoorde een rieten stoel godvruchtig klagen, trok iemand plagend aan mijn oor.

Mijn moeder haalde borden uit de wandkast en zette ze afgemeten op tafel.

'Anton,' riep ze. 'Anton, jongen. Zo op uw blote voetjes paraderen, ge gaat nog buikpijn krijgen.'

Ik sloeg geen acht op haar. Het waren de jaren waarin ik navelstrengen doorbeet en op het binnenerf kippen achtervolgde, ook al mocht het niet.

In een uithoek van het huis, waar de gang zich splitste en zelden licht viel, sloeg de schrik me om het hart. Hier, waar 's zomers tantes en nichten resideerden en waar alles zielloos achterbleef wanneer ze weer vertrokken, stond de vervaarlijke wandklok. Haar trage slag kwam anders altijd ingehouden op me af, maar als ik voorbijsloop bleef ze even bezadigd tikken, zonder toe te slaan. Nu zweeg ze. Mijn vader had ze stilgezet, opdat ze niemand stoorde met het geklepel dat ze om het kwartier door de vertrekken liet galmen.

Hij wist waar iedereen het best gedijde. Wie de ochtendzon verdroeg, wie de gevel op het westen, waar de klimroos na elke stortbui geurde alsof de dood haar op de hielen zat. In de lome augustusnachten, wanneer het onweerde, hoorde ik hem opstaan om nicht Flora uit de kelder te halen. Tussen de koelkast en het rek met volle bokalen vond hij haar, met een omgekeerde kookpot op haar hoofd. Hij bracht de paternoster in haar handen tot bedaren, nam de kookpot van haar lokken, sloot haar in zijn armen en zei: 'Het zijn de Duitsers niet, Flora. Het is de donder maar.'

Wat mij bang maakte, woonde nog niet in, maar rondom me. Ik zocht mijn angsten op om te zien of ze gebleven waren waar ik ze had achtergelaten. Of ze niet ongeduldig waren verhuisd om uit onverwachte hoeken, op ogenblikken die mij niet schikten, op me aan te vallen. Of ze hier, onder de trap, waar de monddood gemaakte klok haar verbolgen stilte verspreidde, weer de vorm aannamen van iets onduidelijks in het donker. Iets dat een niet helemaal dichtgetrokken deur openduwde, op afgesleten klauwen over de plankenvloer op me toe kwam gekwispeld en een vochtige snoet op mijn tenen drukte, wat me een half verschrikte, half schaterende kreet ontlokte. Pas toen ik een tweede keer krijste, kwam het antwoord waarop ik gehoopt had.

'Hoor,' riep een mannenstem in een van de kamers. 'Ons manneken is daar. Kom, ventje. Kom bij ons.'

Het zachte gekoer van tantes die lachten leidde me naar de juiste deur.

Ze zaten gedrieën aan de ronde tafel en dronken jenever. Michel, die hier altijd woonde, zomer of winter, in twee aparte vertrekken, omgeven door wolken snuiftabak en de onfrisse lucht van Molly, zijn hond. Naast hem Odette, een beenderig schepsel met lange armen als de poten van een bidsprinkhaan. Aan de andere kant van de tafel keerde Alice, rood en blozend, me haar onwezenlijk zachte wangen toe.

'Hij kan al goed klimmen,' zei Michel en hij klopte met zijn handen op zijn dijen. 'Kijk maar.'

Ik plantte mijn voeten op de zijne, liet mijn handen op zijn knieën steunen en trok me tegen zijn schenen op.

'Klimmer. Klimmer in de bergen,' zongen de tantes.

Boven gekomen gleed ik van zijn knieën in zijn schoot. Knoop na knoop zochten mijn vingers over zijn hemd een weg naar zijn kin. Tot ik eindelijk huid voelde. Stoppels. Droge rimpels. Gekloven lippen.

Rakelings langs me heen greep hij naar zijn glas, bracht het aan zijn mond, nam een forse teug en zette het ver buiten mijn bereik weer op tafel.

Ik liet mijn handen bestraffend op zijn wangen pletsen. 'Dat is niets voor u,' lachten de tantes. 'Veel te sterk. Ge zoudt in uw broek doen.'

Hij trok bekken en knipoogde, stak zijn tong naar me uit en schudde parmantig het hoofd. ''t Doet toch geen zeer. Ge zijt nog veel te klein. Melk moet gij drinken. Niets anders.'

Ik voel nog altijd zijn handpalm op mijn achterhoofd, zijn duim die tegen mijn nekhaar in streelde.

Hij wilde iets zeggen. Ik zag hem slikken en zijn lippen samenpersen, voor ze weken en zijn kiezen ontblootten, maar geluid kwam er niet.

Hij knikte en knikte, en ik knikte met hem mee. 'Dag,' riep ik, 'dag, dag, dag...'

Ik hoorde lucht tegen zijn verhemelte schuren, en dieper nog, in zijn strottenhoofd, alsof hij de woorden uit zijn maag putte, alsof hij ze moest opwerpen vanuit zijn middenrif dat schokte.

Op het ogenblik dat mijn plezier onverhoeds slagzij maakte en een afgrondelijke angst over me heen sloeg, moeten ook de tantes hebben gegild, en alles werd donker.

Iemand, mijn vader wellicht, heeft me ijlings van zijn schoot getrokken. Iemand anders, waarschijnlijk mijn moeder, zal de dokter geroepen hebben.

Hij was op zijn zij op de vloer gevallen. Handen wisten het bezwete voorhoofd schoon, strekten de benen op een kussen, trokken de pantoffels uit, de sokken, en masseerden zijn voetzolen, die al koud aanvoelden.

Mijn moeder nam me mee naar de keuken en poogde met melk en chocola, met kleurpotloden en prentjes mijn aandacht af te leiden van het lawaai in de gang, waar iemand haastig naar de voordeur liep toen er werd aangebeld.

Kort daarop kwam mijn vader de keuken in. Met de deurknop in zijn handen, half verscholen achter het deurpaneel, alsof hij niet wilde dat ik hem zag, keek hij mijn moeder aan en schudde het hoofd.

Elders klonk zacht gejammer. Gordijnen werden dichtgetrokken. Vensterluiken knarsten in hun hengsels. Ons huis, Callewijns Hof, onder de dijk aan het kanaal naar Brugge, sinds generaties door ons bewoond, altijd uitgebreid en verbouwd, had alle manieren van open- en dichtgaan van vroeger bewaard, en sloot zich nu op al die manieren van de buitenwereld af.

Mijn moeder stond op, hield mijn besmeurde vingers onder de pomp en droogde ze af.

'We gaan slaapwel zeggen.' Ze nam me op haar arm.

In de beste kamer depten de tantes, zwart als vliegen op de bank, hun ogen droog. Frêle vlinderachtige vodjes, afgebiesd met kant, onaanzienlijk als de rouw die hun gedempte stemmen brak, stelpten zuinig hun tranen.

Mijn vader zat in een hoek van de kamer op een stoel, bijna weggedoken achter de zware stores en klemde een enorme lap geruit katoen in zijn knuisten. Naast het spaarzaam sijpelende verdriet van zijn nichten en zussen moest in zijn binnenste een immens reservoir van droefenis schuilgaan, dat zich langzaam vulde, druppel voor druppel, tot ergens een dam het begaf en alles ineens naar buiten stroomde.

Mijn moeder droeg me de kamer rond. Bij iedereen hield ze halt, ook bij de onbekenden, schimmen die hun pet op hun knieën hadden gelegd en onwennig zwegen, aan hun broekspijp prutsten of verlegen 'jaja' fluisterden. 'Jaja.'

Mijn vader glimlachte moedig toen ik mijn lippen op de zijne drukte en zijn duim op mijn voorhoofd het kruisteken maakte. Haastig propten de tantes hun zakdoekjes in hun mouw, omvatten met beide handen mijn hals en keerden me hun wangen toe. Toen ging weer de bel, en mijn moeder zei: 'Kom. Naar boven met u.'

Ongeduldiger dan anders dreef ze me de trap op, wurmde mijn armen door de mouwen van mijn nachthemd alsof ze een ledenpop aankleedde, en stopte me onder, zonder dat ik mijn beren mocht groeten.

Op de plank tegen de muur boven het voeteneind zat het hele leger me aan te gapen, roerloos en idolaat, terwijl het licht van een verre straatlantaarn in hun glazen irissen blonk.

Ik kreeg een haastige nachtzoen. Links en rechts van mij trok mijn moeder de spijlen van het bed op. Ik was gekooid. Voor de hor in het raam wiegde het gaasgordijn heen en weer, en in het laatste licht ritselde een dagvlinder vergeefs langs het vensterglas.

Tot dan toe hadden de dagen beaat rondom mij gedanst, even uitgelaten als de tantes op verjaardagen, en wat ze voor mij in petto hielden, had ik als verborgen zoetigheden uit hun rokken gevist. De uren waren poppenkasten. Op commando schoven ze open om me steeds weer vertrouwde taferelen te tonen. Altijd hadden de dingen lijdzaam gewacht tot ik ze zag en met namen bestaansrecht gaf.

Van alles gebeurde nu achter me om. De vertrouwde geluiden waarmee de nacht zijn eigen landschap ontplooide, het geloei van tochtig vee, blaffende honden, de vaderlijke hartslag van scheepsmotoren op het kanaal achter de tuinmuur werden overstemd door voetstappen op de kasseien van het binnenerf.

Onder het gewelf van de poort duwde voorzichtig, al te voorzichtig, iemand tegen het smeedijzeren hek, waardoor het nog luider kriepte dan gewoonlijk. Ik hoorde wielen over de kasseien hobbelen. Onder het zachte geraas van een motor zwenkte onverwacht fel een lichtbundel mijn kamer in, die de muren in een verschuivend vlechtsel van boomtakken en lover veranderde.

Portieren zwaaiden open, klapten weer dicht. De lichtbundel doofde. Gesmak van lippen op wangen. Nog meer voetstappen, op de pui, onder het afdak boven de voordeur. Ik herkende de diepe bas van mijn vader, en daarboven de stem van mijn moeder, hoog en klagend, ik wist niet of ze lachte of huilde.

Waarschijnlijk stond ze in het deurgat en wreef met haar handen over haar armen, ook al was het zomer en nog lang niet koud.

Iemand trok een laadbak open en sloot hem met een doffe klap. Binnen, in de gang, huppelde intussen iets met lichte passen van de ene voet op de andere, zong uitbundig

'In de put... In de put', en hield abrupt op toen met hels ge-kletter de paraplubak kantelde.

Een vrouwenstem, mij onbekend, riep ingehouden: 'Stil! Anton slaapt al.'

Het trappenhuis vulde zich met de holle echo van alle stemmen tegelijk. Mijn vader sloot de voordeur, ik hoorde het hout over de vloertegels slepen. De stemmen verstom-den en klonken nu gedempter door de plankenvloer heen.

Slapen kon ik niet. Dat de dingen ongehinderd zichzelf mochten blijven nu de duisternis ze alle vorm of eigen-schap ontnomen had, riep een vreemde onrust in me op.

Als ik me omdraaide, op mijn zij, op mijn rug, kaatste het geruis van de lakens en het gerammel van de spijlen on-genadig van de wanden op me af.

Toen later die nacht mijn vader voorzichtig naar me kwam kijken, leek de kamer, ikzelf incluis, zich gulzig vol zuurstof te zuigen. Hij was verbaasd te zien dat ik niet sliep, maar klaarwakker uit de lakens kroop.

Gezeten op de rand van het bed, hij had de spijlen weer omlaag geklapt, liet hij me in zijn armen nestelen.

Ik legde mijn handen op zijn polsen en keek naar hem op. Door mijn haren heen schuurden de stoppels in zijn hals hard over mijn hoofd.

Het moest laat zijn, later dan ooit. Diep in de nacht, waarin ik anders bewusteloos naar de ochtend dreef, waren we gestrand omdat iets de orde der dingen had ver-stoord.

Hij vertelde geen verhalen. Hij maakte geen aanstalten om de muziekdoos op de nachttafel op te winden en te pra-ten zolang de melodie weerklonk. Hij zweeg en drukte me dicht tegen zich aan.

Buiten, op de overloop, kreunde de trap onder de last van iets hoekigs en zwaars, dat trede voor trede naar boven gehesen werd.

'Hierlangs,' hoorde ik mijn moeder fluisteren, en weer huppelde iets tussen de anderen door over de planken, van de ene deur naar de andere. Ook voor mijn kamer hield het halt. De smalle streep licht onder de deur werd verbroken. Iets wierp een lange schaduw over de vloer en zong, even zanikend als voorheen, maar stiller deze keer: 'In de put. In de put,' en liep verder.

'Slapen,' zei mijn vader en tilde me op. Ik mocht dan toch mijn beren strelen. Pluchen oren, droge snoeten streken onder mijn handpalm voorbij, het koele glas van hun starende ogen.

'Sla-pen,' riep ik ze toe, als een bevel, alsof alles nog altijd gehoorzaamde.

Mijn vader trok het laken over me heen, het deken stak hij losjes onder het matras. Plagend beet hij in mijn vingertoppen toen ik in het donker zijn lippen betastte. Ik schaterde. Hij trok voorzichtig de deur achter zich dicht.

Ik nam het laken in mijn vuisten, trok het rond mijn oren en rekte me behaaglijk uit. Eindelijk mocht alles tot bedaren komen. Zelfs de beren leken te glimlachen op hun schap, tevreden dat ze alsnog gekregen hadden waar ze recht op hadden.

Als ik lang genoeg wachtte zonder met mijn ogen te knipperen of me te verroeren, zouden ze denken dat ik sliep, en in het donker beginnen te spreken. Schuchter eerst, maar gaandeweg overmoediger, zou ik hen geluidloos honderduit zien prevelen.

Ik schoof mijn handen onder mijn kussen. De wereld viel stil. Mijn ogen werden zwaar. Alleen de wind, suizelend in de kruin van de beukenboom, maakte nog gerucht. De nacht liep vol met alle woorden die ik nog niet kende, met alles wat nog altijd vluchtig aan mijn vingers ontkwam.

Ik draaide me op mijn zij en sloot de ogen.

'Sla-pen,' herhaalde ik. 'Sla-pen.'

2

Gekwetter van vogels wekte me. Bijen, zoemend om de wingerd tegen de gevel. De warmte van de middag, wanneer het raam bundels van het helste licht over de vloer goot en het stof in de hitte zweefde. In de kamer begonnen de planken uit te zetten rond de spijkers die ze in de balken verankerden. Nog even en ze brachten een aanhoudend getik of tromgeroffel voort, soms zo hevig dat de mastiek in de naden met een harde knal lossprong en de neervallende brokstukken over de nerven dansten.

Klein en compact lag ik in mijn nachtkleed en trappelde ongeduldig met mijn voeten tegen de stof die me weinig vrijheid gunde. Als ik mijn benen spreidde, spande het katoen zich als een zeil tussen mijn enkels en heupen op.

'Op-staan!' moet ik geroepen hebben. 'Pa-pa,' misschien.

Pas toen de echo minder hol dan anders tegen de muren opliep, zag ik de open deur en rook onraad.

Ergens was een voet verschoven. Iets was onverhoeds verstrakt.

Bij het voeteneind kon ik nog net een hand omlaag zien zakken. Iemand die het op mijn beren had gemunt, was vliegensvlug weggedoken en hield zich nu achter mijn bed gedeisd.

Ingespannen tuurde ik naar het voeteneind, alsof ik mijn

blik over de rand kon werpen om de indringer op te trekken bij zijn kraag.

We wachtten. Geen van ons beiden durfde te bewegen, verdacht op het minste gerucht. Ik kon zijn adem horen en hij wellicht de mijne.

Buiten klonken de geluiden van de ochtend, die langzaam in de middag verzonk. Op het erf liep iemand met rammelende emmers rond en ik hoorde de kippen vechten om de beste brokken.

Een harde bons tegen het voeteneind maakte me weer van de indringer bewust. Misschien had hij de hele tijd gehurkt gezeten, waren zijn spieren stram geworden en had hij het evenwicht verloren.

Boven de rand van het bed verscheen een kastanjebruine dos, ongekamd en plukkig, en borstels van wenkbrauwen, daaronder twee donkere ogen. Eigenwijs en frontaal staarde hij me aan, zonder een zweem van schaamte.

Van de weeromstuit kneep ik mijn eigen ogen stevig dicht. Alleen mijn vader, mijn moeder, bij hoge uitzondering een van de tantes mocht hier komen. Me optillen of neerleggen of aaien. Al het andere diende even onbewogen te blijven als mijn beren op het schap.

Toen ik mijn ogen weer opende, zag ik hem vanachter het bed tevoorschijn komen. Zijn hemd hing uit zijn broek. De riempjes van zijn sandalen rinkelden los om zijn enkels. Er lag een besmuikte grijns op zijn gezicht en hij kwam traag op me af.

'In de put! In de put!' zong hij zacht.

Vanuit mijn ooghoeken zag ik hoe hij bij me neerknielde. De spijlen daverden toen hij zijn vingers om het hout

wrong, en een grimmig lachje ontsnapte hem, even plagend als geamuseerd.

Dan, na een tintelend zwijgen van een paar seconden,
riep zijn stem, onverwacht dicht bij mijn oor: 'Anton...' en
nogmaals, maar trager en zeurderig, 'An-ton-ne-ke,' alsof
het hem genoegen schonk mijn naam te weten en hem op
me los te laten.

Kwaad wendde ik mijn hoofd af, naar de muur onder de
vensterbank, waar de vlekken van lang verdampt regenwa-
ter 's avonds, in de schemering, weer vloeibaar leken te
worden en in trollen of tovenaars veranderden. Als ik maar
lang genoeg naar andere dingen keek, zou hij vanzelf wel
verdwijnen.

Toen kropen drie vingers over mijn aangezicht, van mijn
wang naar mijn mond naar mijn ogen. Ik krulde mijn tenen
om het gekietel te weerstaan, blies geprikkeld naar zijn
hand en schudde het hoofd.

Onverwacht stevig greep hij mijn neus vast.

Mijn ogen schoten vol, een snerpende pijn kroop tot in
mijn haarwortels.

Hij trok me op.

Gewillig gaf ik mee. Mijn adem besloeg tegen zijn pols.
Werktuiglijk omklemde ik zijn hand, hij loste zijn greep
niet, maar leek mijn neus van mijn gezicht los te willen
schroeven.

Ik wilde me niet gewonnen geven, geen snik uitbrengen,
geen kreet, maar zijn vingers boorden zich steeds dieper in
mijn vlees. Ik werd misselijk van de pijn. Mijn middenrif
verstrakte, mijn longen zogen zich vol, maar toen mijn
mond zich opensperde om te gaan krijsen, leek een vrou-

wenstem, dezelfde als de nacht voordien, het in mijn plaats te doen.

'Roland!' kefte ze. 'Roland, jongen... Waar blijft ge?'

Ogenblikkelijk liet hij me los. Mijn hoofd viel abrupt terug op het kussen.

Ik hoorde hem lomp over de vloer naar buiten stampen. De deur trilde in haar hengsels.

Mijn spieren ontspanden, mijn adem hervond zijn vertrouwde ritme en ik pinkte het vocht uit mijn ogen. Elders werd een kraan opengedraaid, de leidingen suisden. Ergens spetterde water in een bekken.

Roland. Roland, jongen. Toen mijn moeder me naar beneden bracht, was hij nergens te bekennen, maar twee lege stoelen aan het andere eind van de tafel gaapten me dreigend aan.

Het was nog altijd duister in huis, en niemand zei iets. De tantes namen hun kopje in beide handen en dronken het zwijgend leeg, met korte pauzes tussen de teugen, waarin ze wezenloos voor zich uit zaten te kijken. Een schaars, eigenaardig kil licht viel door een smalle kier onder het rolluik naar binnen en diepte de zwarte spelden in hun lokken half uit de schemering op.

Alles was laat. De koelte van de afgesloten vertrekken beneden scheen de uren te beroven van hun ziel. Buiten moest het achtererf liggen laaien in de hitte van een genadeloze middag die nog niet wilde kantelen. Binnen hing nog de drukte van de ochtend. Alles maakte zich op voor een dag die al halfweg was.

Nergens zag ik Michel. Hij had hier naast me moeten zitten, op de hoek van de tafel, de wandelstok tegen zijn heup, en me hap voor hap mijn boterham voeren, terwijl hunkerend aan de voet van de kinderstoel, mijn troon met eigen tafelblad en pot, de hond naar me opkeek en zacht jankend met een voorpoot in het ijle klauwde.

Ook mijn vader was nergens te bekennen.

Mijn moeder droeg stapels lege borden naar de keuken. De tantes leunden beleefd achterover in hun stoel toen ze met een borstel de kruimels opveegde.

'Eet,' beet ze me in het voorbijgaan toe. Ze duwde het brood in mijn handen.

Met tegenzin nam ik een hap. Alles vluchtte voor mij. Alles werd al opgeruimd. Alleen aan het andere eind van de tafel, ver buiten mijn bereik, bij de lege stoelen, stond nog melk en jam en suiker.

Op de trap klonk gestommel, en weer hoorde ik de vrouw van daarnet.

'Kom hier. Onnozelaar...'

Onwillig zeulde Roland aan haar hand de kamer in. Zijn haar was plat over zijn schedel gekamd en glom alsof hij een lik vernis gekregen had. Zijn sandalen waren dichtgegespt, het hemd zat stevig in zijn broek, die bijna tot onder zijn oksels was opgetrokken. Hij leek op een houten pop, maar net tot leven gekomen, met niets dan onheil in zijn aders.

'Zet u aan tafel. Het is altijd hetzelfde met u,' blafte zijn moeder terwijl ze vergoelijkend naar ons lachte. Ze was even grof gebouwd als haar zoon. Er ging eenzelfde dreiging van haar uit. Het onheilspellende grijs van nakend onweer achter bomenrijen.

Ik was blij dat ik in mijn stoel zat, vorstelijk boven hem verheven. Hij had op zijn tenen moeten gaan staan om me te knijpen of de stoel naast mij moeten beklimmen, maar tot mijn opluchting kwam mijn moeder bij me zitten.

''k Heb wat kaas laten liggen,' zei ze afwezig, 'en er is nog perenstroop.'

Roland kreeg een kussen onder zijn kont en gaapte me parmantig aan, alsof de andere kant van de tafel zijn eigendom was. Terwijl zijn moeder het brood voor hem smeerde, tilde hij het deksel van de suikerpot op en liet het met een harde klap dichtvallen, telkens weer, met steeds kortere tussenpozen

'Blijft daar af, zeg ik u.' Ze rukte het deksel uit zijn handen en zette de suikerpot ver van hem af.

Even zakte hij onderuit op zijn stoel, negeerde met een dikke pruillip zijn boterham en viel vervolgens op de melkkan aan, die hij vervaarlijk voorover liet hellen. Een flinke gulp plensde uit de tuit op het tafelkleed.

'Jongen toch.' Ze gaf een vinnige tik op zijn vingers.

Hij sloeg meteen terug.

Ze was te verbijsterd om iets te zeggen. Haar hand trof hem zijdelings op zijn slaap. Zijn hoofd stuiterde kort opzij. Hij ging verzitten en begon treiterig met zijn voet tegen de tafelpoot te schoppen.

De tantes poogden hem te negeren, dronken hun kop leeg en vouwden hun servet op. Alleen bij tante Odette zag ik geërgerd een wenkbrauw de hoogte in gaan. Inwendig moest ze kolken.

Anders dan Flora of Alice, die te pas en te onpas zeiden

dat ik stil en braaf moest zijn, en me oorvijgen verkochten als halfslachtige strelingen, kropte tante Odette haar kwaadheid altijd op. Als ik van geen ophouden wist kon ze soms onverhoeds een vingernagel als een angel in mijn nekvel drijven. Nooit riep ze met de anderen mee 'Caramba' als ik met mijn vader stierentemmer speelde en na de genadesteek ridderlijk op mijn knieën viel om hem te omhelzen en zijn bloed te stelpen.

Ze dronk met kleine slokjes. 's Avonds zoog ze op de bank onder de rozenstruik met gesloten ogen het licht op van de ondergaande zon, alsof ze van zichzelf geen warmte bezat en ze elders moest stelen.

Op mijn dwaaltochten in huis kwam ik haar soms onverwacht tegen in de buurt van de kelder of de voorraadkast, waar op de hoogste planken worst of reepjes spek in de diepe duisternis onbereikbaar bleven. Waarom ze altijd, als was het een misdaad, lepeltjes boter schepte, of met een vingervlugge routine koffiebonen in een doosje liet tikken, ontging me. Ingespannen telde ze de schepjes of tikjes tegen de bodem van het doosje, alsof de inhoud even kostbaar was als het muntgeld in haar zachte lederen beursje, dat ik soms in mijn handen mocht nemen, maar nooit openknippen.

Evenmin begreep ik waarom ze later, op haar kamer, het doosje in haar eigen voorraad leegde, boter op boter lepelde, koffie met koffie vermengde, of met een schuldig geritsel suiker uit een verfrommeld papiertje in een kegel boven op andere suiker goot.

Het was alsof niets in haar leven ooit mocht slinken. Uit haar laden wasemde voortdurend de geur van gebrande bonen, gekonfijte vruchten, chocola. De rooklucht van plakjes ham wekten de indruk van een chronische overvloed die nooit zou verdwijnen. Misschien werd ze, net als ik, bij de aanblik van alles wat verminderde door een vreemde treurnis overmand. De jampot, die ontbijt na ontbijt lichter werd naarmate hem een onvergeeflijke leegte vulde. De troosteloze aanblik van lege bokalen en flessen op de schappen in de kelder, met hun altijd gapende monden, alsof een doodse verveling ze in hun dorst bevroren had.

Eenzelfde treurnis overviel me toen ik mijn bord voor mij zag staan. De beker melk, nog gul en vol. Het brood, nog ongehavend door mijn tanden, waarin een kwistige belofte schuilde, die geen honger ooit kon stillen.

Misschien begreep tante maar al te goed waarom ik met het brood in mijn vingers zat te talmen. Moedeloos van verrukking omdat er nog zoveel van was, zoveel dat straks volledig moest verdwijnen, hield ik mijn boterhammen vast, in elke hand één, zonder toe te happen, hoe spotziek Roland me ook in de gaten mocht houden.

'Ge zit weer te treuzelen, geloof ik,' zuchtte mijn moeder. Ze trok de korsten uit mijn handen. 'Ik heb geen hele dag tijd.'

Hap voor hap voerde ze me het brood. Ze liet me amper de tijd om door te slikken.

Daarna goot ze me haastig mijn melk op. Ik klemde mijn vingers rond de beker om haar tegen te houden, bijna goot ze alles in mijn neus.

Nahijgend zat ik om me heen te kijken en mijn lippen af te likken.

'Dat ventje eet altijd zo moeilijk,' zei een van de tantes.

'Hij zit altijd te dromen,' zei tante Odette. 'Hij is juist gelijk zijn vader als hij klein was. Die kon ook zo zitten gapen naar zijn eten.'

Een diep geborrel steeg op uit mijn buik. Onmiddellijk daarna kroop een felle kramp door mijn darmen. Ik kreunde.

Iedereen keek op.

'Komt er iets? Ja, komt er iets?' giechelde tante Alice. Ook Roland zat me aan te grijnzen.

Ik werd rood. Bloed stuwde door mijn wangen, mijn buik werd hard als steen.

Binnen in me leken schroeven onverbiddelijk holtes dicht te knijpen en andere open te wringen.

Mijn adem stokte, en toen de pijn zich van mijn buik verplaatste naar mijn liezen en daar door duizend vliezen heen leek te breken, werd ik door duizelingen overmand.

'Weert u,' kirden de tantes.

'Kijk dat schaap eens afzien,' glimlachte Rolands moeder.

Een zucht van opluchting ontsnapte me. Een plotse koelte joeg over mijn wangen, en leek me bijna op te tillen uit mijn stoel, zo licht was ik ineens geworden.

'Dat is een grote jongen, zie.' De tantes klapten in hun handen.

Op andere dagen had ik ongegeneerd met ze mee gejuicht. Misschien had ik van puur jolijt met mijn beker op het tafelblad geklopt en luid gekird, maar Roland blikte me aan met een smoel vol minachting en barstte in venijnig geschater los.

Toen mijn moeder de pot onder me wegtrok en een onverwachte kilte op mijn billen aanviel, had ik zin om te huilen.

Hoezeer zijn moeder hem ook aanmaande stil te zitten, alstublieft zijn manieren te gebruiken, hij bleef schokken op zijn stoel.

Op de trap brulde een mannenstem: 'Is 't gedaan, ja?' Nonkel Roger liep ziedend de kamer in, struinde op Roland af en verkocht hem een oorvijg die op zijn wangen een bloedrode afdruk achterliet.

Een ogenblik lang keek Roland verbouwereerd recht in mijn ogen, tot in zijn ziel gekwetst, en werd nog roder. Toen sprong hij uit zijn stoel en rende jankend de gang in.

Zijn moeder maakte aanstalten om op te staan.

'Laat hem,' zei nonkel Roger. Hij trok zijn broeksriem aan. 'Dat jong duvelt ons nog kapot.'

Hij ging zitten, schonk een kop vol. Toen hij naar de mand met brood reikte, kreeg hij me in de gaten.

Zijn gezicht klaarde op. 'Hoe is 't met ons ventje?' vroeg hij, 'alles goed?' en hij zond me een knipoog.

Ik knipoogde terug, met beide ogen tegelijk. Mijn lippen bloeiden open.

3

Veel liever ging ik met mijn vader in bad dan met mijn moeder. Alles moest zoveel haastiger bij haar, zonder gedoe. In de lege kuip zeepte ze me eerst van kop tot teen in, voor ze zichzelf inwreef. Ze scheen er nooit om te malen dat de kou me resoluut losbeitelde uit de warme lucht en de zeep venijnig in mijn ogen prikte.

Als ik tegen haar benen beschutting zocht, gleden mijn vingers terloops over de striemen in haar onderbuik. Over de diepe, verticaal gegroefde huid, links en rechts van haar navel, die ze soms voor de spiegel met een moedeloze zucht in haar beide handen nam, alsof ik haar overlangs gespleten had toen ze me baarde.

Hoe anders was haar geslacht, vergeleken met het mijne of dat van mijn vader, dat uitliep op een tuit met een grove dop erop. Het leek weg te kruipen in zijn eigen plooien. Achter een flinke bos haar lag het opgekruld, als een bange egel in de duisternis van de heg. Wanneer ze zich rekte om haar billen in te zepen, stulpte die vreemde vouw tussen haar benen plotseling even uit zijn schuilplaats naar voren en verzonk meteen weer in haar dijen.

Nog kordater dan op andere ochtenden gaf ze een ruk aan de kraan. Het spoelwater nam me weer in de wereld der warme dingen op en mijn ogen stopten met schrijnen.

Een flauw lachje omspeelde haar lippen toen ik het uitproestte en maakte, wanneer ik kirrend naar de waterstraal klauwde en de spons leegkneep, meteen weer plaats voor haar dagelijkse ongeduld.

Ze had altijd blauwe wallen onder haar ogen. Een chronische vermoeidheid verleende haar gezicht een porseleinen kwetsbaarheid die elk moment aan scherven kon vallen, maar ze was taai. Ze dopte erwten, haalde de bedden af. Dag na dag liet ze de borden nadrukkelijk hard neerkomen op het tafelblad, het hele huis kon het horen. Met elke schep van de uitgekookte kost die ze onder onze neus schoof moet ze ons, maar vooral de tantes, haar armzalige trots hebben ingewreven. Dat zij het was die hun magen vulde, met bonensoep en zelfgebakken, zoutarm brood hun bloeddruk binnen de perken hield en met vier maaltijden per dag de fundamenten legde waarop hun luie leven zich verhief.

'Ze heeft het niet,' morden de tantes achter hun servet. 'Winkeldochter. Nooit aarde onder haar vingers gehad. Nooit een zeug moeten helpen biggen.'

Ze droogde me af, trok de halsopening van mijn hemd over mijn veel te grote hoofd, haalde mijn armen door de mouwen, klikte mijn bretellen vast aan mijn broek en trok me mijn pantoffels aan.

'Krult uw tenen niet zo,' zuchtte ze kwaad. 'Anders blijven we bezig.'

Ze liet me in mijn pantoffels stappen en borstelde mijn haar in een kuif, ook al wist ze dat ik daar niet van hield.

'Ge moogt boven blijven, bij tante Odette.' Ze zette me op de grond. 'Beneden loopt ge toch maar in de weg.'

Zo statig in het zwart had ik tante Odette nog nooit gezien. Watervallen van plooien vielen langs haar magere gestalte omlaag en ze rook nog ouder dan ze al was. Nog stoffiger. Nog droger.

'Die zal uitwaaien als een kaars,' zei mijn vader altijd. 'Het soort dat op een dag stijf in de zetel zit, gelijk een dooie kraai op een tak.'

Ze had een oude sprei over de vloer uitgespreid en mijn blokkendoos erop leeg gegoten.

'Maak maar een schone toren voor mij,' zei ze poeslief, maar haar glimlach verried ongeduld. Ik wist dat ze liever van me af was.

Toen ze in een van haar oude fotoalbums begon te bladeren, verspreidde het doorzichtige kalkpapier tussen de hardkartonnen vellen een zacht, regenachtig geruis, waardoor ik ondanks haar hooghartigheid altijd graag in haar buurt verkeerde. Zelden sprak tante Odette me rechtstreeks aan, tenzij om me terecht te wijzen, en ook dan commandeerde ze liever eerst mijn vader, alsof hij haar bode was, maar ze ging altijd vergezeld van heimelijke geluiden, die me intrigeerden als de klanken van een onbekende taal.

De hoogste toren ooit zat ik te stapelen, alleen om haar gespeeld ontzag te kunnen oogsten, toen ik haar vanuit mijn ooghoeken zo geruisloos mogelijk zag opstaan om in haar donkerhouten commode te scharrelen. Ongezien, meende ze, begon ze een karbonkel van een robijnrode suikerbal uit het papiertje te peuteren, en propte hem als een enorme pil tegen maagzuur haastig in haar mond.

Ik voelde me blozen van rancune. Toen ze weer ging zitten, kon ik het zoete juweel tegen haar kiezen horen tikken. Zachte smekgeluiden ontsnapten haar wanneer haar lippen even weken. Op den duur zat ik zo machteloos te watertanden dat het speeksel in mijn mond bijna even zoet smaakte.

Er ging een voldane rust van tante uit. Ik wist dat ze slaperig begon te worden. Af en toe vielen er vreemde woorden uit haar mond. Ze kon zo volkomen in haar foto's opgaan, dat haar na verloop van tijd een dromerige extase overkwam, waarin ze soms, met een zeldzame tremor van genot in haar stem, 'Joegoslavië' zuchtte, of 'Praha. Ach, Praha is toch zo schoon.'

Toen ik, aangestoken door haar geestdrift, op mijn beurt 'Praha' riep en mijn toren van de weeromstuit omviel, keek ze verwonderd op me neer en bracht met haar knokige vingers vertederd mijn kuif in de war.

'Ja,' lachte ze. 'Praha. Praha is duizend keer schoner dan Wien.'

Ik wachtte tot ze zou indommelen. Ze had haar schoenen al van haar voeten geschud, onder geruis van talloze onderrokken haar benen op de sofa gelegd en een kussen achter haar heupen gestoken.

Beneden was overal bedrijvigheid. Getinkel van lepels in kopjes, af en toe de stompe zucht waarmee een kurk uit een flessenhals getrokken werd, drong door tot waar wij zaten.

Na een tijd werd het rustiger. Tante Odette had haar album al gesloten. Nu zakte haar kin op haar borst. Ik stond op.

De deur gaf gewillig mee toen ik op mijn tenen ging staan

om de klink omlaag te trekken. Zonder plagend in haar hengsels te janken zwaaide ze open.

Er waren deuren in huis die stilzwijgend met me samenspanden wanneer ik aan mijn verboden tochten begon, en andere, die me met een achterbaks gekriep verrieden wanneer ze dichtvielen achter mijn rug. Er waren laden die zich wellustig lieten opentrekken, haast vanzelf naar voren schoven, en andere, die koppig blokkeerden, halverwege stokten of als opeengeklemde kaken geen vin verroerden, hoezeer ik ook aan de handvatten trok. Er gingen werelden in schuil, compacte universums, bijeengehouden door een logica of zwaartekracht die mij ontging. Losse eindjes touw, verstrengeld met ooit geknipte lokken. Handschoenen grepen met lamme vingers, misschien op zoek naar een wederhelft, versleten kragen aan. Er waren manchetknopen zonder mouw, postzegels die zwaar bestempeld waren of nog maagdelijk blank, maar hoe dan ook allang vergeeld.

Welke schatten lagen er niet verborgen in alle laden waar ik niet bij kon? Wat kon er op de hoogvlakten boven op de kasten huizen? Sommige reikten haast tot de zoldering. Zelfs als mijn vader me droeg, bleef wat ze bevatten ongezien. Er moesten nog zoveel opwindender landschappen te begluren zijn dan de eentonige rijen borden of karaffen waarop ik wel kon nederkijken.

Ik stond op de overloop, en het was merkwaardig stil in huis. Op het binnenerf stierven stemmen weg. Voor het raam aan het eind van de gang zette het eerste avondlicht de kruin van de notelaar in vlam. In de keuken pompte iemand een emmer vol en sloot de achterdeur.

Op hun kamer hoorde ik mijn vader op gedempte toon met mijn moeder praten. Hij had zijn schoenen bij de deur gezet. Ik tilde ze op, droeg ze naar het midden van de gang, liet me op de plankenvloer zakken en schopte mijn pantoffels uit.

De schoenen zette ik vlak naast elkaar. Iets van mijn vaders warmte hing nog in hun binnenste, iets van zijn zweet, toen ik er wankel in stapte. Een vreemde rilling kroop door mijn kuiten, alsof de kracht van zijn benen vanuit de zolen in mijn eigen spieren opsteeg. Ik meende met vederlichte tred te stappen, viermaal groter dan ik was, al sleepte ik me moeizaam voort. Het was weer tijd om alles te wekken.

Alleen aan wie groter was dan ik toonden de dingen in huis zich van hun beste zijde. Alles blonk en geurde naar boenwas. Wie klein was zoals ik, zelfs in mijn vaders schoenen nog altijd onooglijk, was onbelangrijk genoeg om van alles de lage, verdrongen kanten te mogen zien. De doodse spelonken van stofwebben tussen kast en muur of onder het aanrecht, waarin vliegenlijken met devoot gekromde poten roerloos wiegden op de tocht. Of de pad die elke avond in het felle licht tussen de onderkant van de achterdeur en de arduinen drempel naar binnen kroop, en voortdurend haar keel schraapte, alsof ze een gewichtige boodschap moest overbrengen. Er waren spinnen die eigenlijk in de dennen moesten wonen, buiten rond het hoenderhok. In het achterhuis, tussen verroeste melkkannen of gieters, hadden ze webben gesponnen als de afgewaaide puntmuts van een goochelaar, waaruit ze zich vliegensvlug tevoorschijn toverden wanneer zich een prooi aandiende.

Ik hield het meest van het huis in de uren voor het avondmaal, wanneer alles stilviel en het zijn muren als een ruim gewaad los om mijn schouders sloeg, zonder me te beknellen. Wanneer ik de kamers betrad, of gewoon maar in de schoenen van mijn vader van deur naar deur laveerde en daarachter de geluiden hoorde van de kleine gewoonten waarmee iedereen zich onledig hield, leek de ruimte die het huis omspande zich als een cel te delen en steeds weer te verdubbelen, tot ze schier oneindig werd en de tijd in haar talloze plooien verdween.

Om de hoek, waar anders de logeerkamers een strenge leegte vertoonden, waar de bedden onder een rimpelloze deftigheid van zwaar gehaakte spreien evenveel ontzag inboezemden als de tantes wanneer ze zich hadden opgemaakt voor een feest, stonden nu overal koffers. In de openstaande kasten hingen jassen of kostuums met de lijfgeur van vreemde woningen in hun naden. Schoenen slingerden rond tussen de poten van de nachttafels, waarop hier en daar witte zakdoekjes lagen, of een stapel kranten, bekroond door een bril met gewichtig uitziend montuur.

Verlokkelijk glommen de koperen sluitingen van de valiezen. Alleen om de kille, mechanische klik te horen waarmee ze uit het slot moesten springen, zou ik ze gretig hebben opengeklikt, had ik erbij gekund op die hoge, ongenaakbare bedden.

In de laatste kamer, aan het eind van de gang, lag een immense zwarte jas op een sofa. Hij hing half over de bolle armleuning, een van de slippen opengeslagen, alsof hij elk moment een pronte dameskuit kon ontbloten. Zijn boord van donker bont glansde zo uitnodigend, dat ik hem onmogelijk kon weerstaan.

Ik hurkte neer en liet me vervaarlijk voorover hellen in mijn vaders schoenen, om mijn wangen, neus en voorhoofd over te leveren aan de tinteling van ontelbare haren. Er huisde een zoete, droge lucht in het satijn van de binnenvoering, dat zich koel als water op mijn handpalm legde.

Net toen ik op punt stond om me in dronken vervoering languit voorover te laten vallen en helemaal in strelingen op te gaan, hoorde ik voetstappen naderen. Hun dartele ritme voorspelde niet veel goeds.

Ik verstrakte, trok de slippen van de jas over mijn hoofd en wachtte op wat er zou gebeuren.

De voetstappen stopten.

Het satijn begon langzaam mijn warmte op te nemen, de damp van mijn adem vond nergens een uitweg. Toen ik mijn hoofd tevoorschijn trok om frisse lucht te happen, keek ik recht in de eigenwijze snoet van mijn neef Roland.

'In de put. In de put,' zei hij, en tikte met zijn wijsvinger nu eens op mijn ene schouder, dan weer op de andere. 'In de put. In de put.'

Het liefst was ik weggelopen. Ik hoefde maar te denken aan de marteling die hij een paar uur voordien op mij had losgelaten of mijn ogen sprongen weer vol.

Hij huppelde van zijn ene been op het andere naar het deurgat en bleef daar staan, gelikt en gelepeld, nog even smetteloos als bij het ontbijt, op zijn broek na, waaraan flarden spinrag kleefden en vegen plamuur. Het hele huis moest hij hebben verkend, alle uithoeken van mijn kroondomein.

De kalk op zijn heupen kon alleen maar van de muren in de kelder komen, de enige plaats die ik nooit alleen durfde binnen te gaan. Het rook er altijd naar schimmel en wakte, en de kleine lichtpeer flakkerde er even labiel als een kaarsvlam die elk ogenblik kon doven. 's Winters steeg het grondwater in de voegen tussen de vloertegels op en liet als het verdampte kussens van zout achter, even wit als de stuifsneeuw die de wind in de kieren tussen de pannen op zolder naar binnen blies. Het waren de enige plekken waar het huis zich niet helemaal van de buitenwereld afsloot, wat me zowel aantrok als vervulde van angst.

'Kom kijken. Kom,' fluisterde Roland. Hij leunde met een arm tegen de deurlijst en pulkte met de wijsvinger van zijn andere hand een reepje dode huid van rond zijn duimnagel, tot er bloed verscheen.

Even meende ik dat ik zijn bloed moest bewonderen, dat hij er genoegen in schiep zichzelf even klinisch te pijnigen als mij of zijn moeder. Maar hij bracht zijn duim naar zijn mond en likte de wonde schoon.

'Kom!' herhaalde hij met aandrang, en greep me, toen ik niet snel genoeg reageerde, ruw bij mijn arm.

Hij zette er stevig de pas in. Ik kon hem amper bijbenen. De schoenen van mijn vader vlogen van mijn voeten, rolden over de vloer en stuiterden tegen de onderkant van de muur. Ik had zin om te krijsen, te roepen dat hij niet zo snel moest gaan, maar ik hield me in. Ik wilde tante Odette niet wekken en ook mijn vader niet alarmeren.

Naar beneden ging het, door de gang, de hoek om, voorbij de wandklok, naar het achterhuis. Hoe vaak ik daar al gelopen had, nu leek ik door een onbekende woning te dwalen. Het hoorde niet dat ik me liet leiden, als een bezoeker, een vreemde, maar Roland liet mijn hand niet los.

Hij vertraagde en hield halt voor een gesloten deur. Ik kende ze goed genoeg, ook al liet het glaspaneel niet het vertrouwde licht zien van het raam daarachter, maar een schild van duisternis.

Roland trok aan de klink en liet de deur voor me openzwaaien.

Er woei een eigenaardige kilte in mijn gezicht. Lucht die onverwacht fris aanvoelde, zonder spoor van snuif of pijptabak, geen zweem van een diepe slaap of dranklucht.

Roland duwde me naar binnen. Ik kon geen hand voor ogen zien. Alleen de kou in de vloer, die plaatsmaakte voor de dikke vezels van een tapijt, vertelde me waar ik was. Achter mijn rug hoorde ik Roland de muur aftasten. Iets knarste onder zijn vingers en het licht ging aan.

Op het bed lag Michel, onbeweeglijk in zijn netste pak, met opgetrokken wenkbrauwen. Ondanks zijn gesloten ogen leek hij verwonderd me te zien, of gespeeld boos omdat ik hem durfde te storen.

Van zijn ene mondhoek naar de andere vertrokken zijn lippen van een zwakke glimlach in een pijnlijk grimas, alsof hij niet kon besluiten wat hij zou doen: me aan het schateren brengen of me bang maken. Zijn handen waren geel, zijn nagels blauw.

Op het hoofdkussen rond zijn merkwaardige kale hoofd, ik had hem zelden zonder pet gezien, lagen twijgen laurierkers, en aan zijn voeten een boeket van vroege dahlia's.

Ik wist niet beter of hij lag me weer eens te bedotten. In

de schuur, bij het binnenhalen van de oogst, speelde hij altijd korenmonster of hij schudde in de boomgaard onverwacht aan de takken van de amandelboom terwijl ik nietsvermoedend voorbij liep.

'Michel,' riep ik, half grinnikend.

'Ssst,' siste Roland. Hij legde een zweterige hand op mijn mond.

Verontwaardigd trok ik me weg.

'Mi-chel!' riep ik nogmaals.

Roland liep langs me heen. Op een paar passen van het bed bleef hij staan. Hij hield zijn handen onder zijn oksels, alsof ook hij verwachtte dat Michel nu ieder moment overeind zou springen en ons door de gang achterna zou zitten, om ons met zijn wandelstok op de billen te tikken.

Hij bleef liggen.

Roland liep tot bij de rand van het bed en leunde half tegen het matras. Hij strekte zijn arm en legde zijn hand op die van Michel.

Mijn hart kromp, maar op een zacht getik na van de paternoster in de blauwe vingers gebeurde er niets.

Roland keek me aan en haalde zijn schouders op.

'In de put,' zei hij ernstig. 'In de put.'

4

Even plotseling als de duisternis was ingetreden, werden stores opengeschoven, rolluiken opgetrokken, en de kist op schragen in de voorkamer glom vierkant en donker. Ik werd van arm naar arm gezwierd, melk ingegoten, gewassen, geborsteld, en toen iedereen klaar stond in de gang, draaide mijn moeder zich om en riep naar mijn vader: 'Maar pa toch. Ik heb nog gezegd: doe hem zijn zwarte schoentjes aan, niet die bleke.'

In de afgelopen dagen was het huis vol gelopen. Tussen schenen en kuiten door, in de salon, de keuken, had ik me heen moeten wringen om tot bij mijn vader te geraken of op mijn moeder toe te lopen. Zwetend boven het aanrecht draaide ze vlees door de molen. Vrouwen die ik nooit eerder had gezien, keken haar op de vingers en spraken me aan met 'Antoine'.

De avond voordien had ik ze in processie door het hele huis horen gaan, naar de kamer van Michel. Ik was rechtop gaan staan in bed, leunend tegen de spijlen, om hen af te luisteren.

Op de gang had ik Roland op de tippen van zijn tenen naar de trap horen lopen. Hij was op de bovenste trede gaan zitten, en ik had hem met zijn vingernagels verfschilfers van de muurplint horen krabben.

Ze moesten gebeden hebben, maar ik dacht dat ze liedjes zongen of versjes voordroegen van 'Blaadjes in de regen. Blaadjes in de drop'.

In de dagen voordien, wanneer de anderen nog aan tafel zaten, had ik soms de deur van de kamer opengeduwd, om te zien of hij al wilde bewegen. Altijd weer had hij me even stoïcijns genegeerd.

Ik had hem mijn nieuwe autootje getoond, die ene vlieger die nooit in de takken van de beuk aan flarden was gevlogen, en mijn oranje trommel, maar zelfs mijn zilveren lepeltje, blinkend zoals sindsdien niets nog blonk, had hem niet kunnen vermurwen. Tenslotte was ik boos geworden en gaan mokken. Niet eens zoveel later was ik hem al half vergeten.

We liepen als schaduwen over de dijk. Hoge ruggen. Kragen van bont. Zwart leder. Voile. Alleen ik had bleke schoentjes aan.

Rondom ons schitterde alles pijnlijk in de ogen. Het koren boog witgeworden door. Het verdorde, halfopgekrulde lover van de populieren ritselde droog boven ons hoofd, en de grijze pompons van struisveren op de dodenwagen knikkebolden even potsierlijk als de pluimen op de koppen van de pony's, wanneer het circus kwam en de clowns hun broek verloren.

Mijn vader tilde me aan een arm over de kuilen in de weg. Om de paar passen wreef mijn moeder met haar duim en wijsvinger over haar oorlel, of streek over de panden van haar jas.

Nu en dan zag ik enkele meters voor me uit Roland, gekluisterd tussen zijn ouders. Hij werd meer voortgesleept dan hij kon stappen, zijn voeten bleven geregeld boven de straatstenen spartelen.

Tante Odette greep me in het voorbijgaan bij de schouder, met een hand die door de zwarte handschoen op de schubbige poot van een vogel leek. Dat ik kon zien dat ik een beetje braaf was, straks, siste ze.

'Hoor!' Ze bracht haar wijsvinger naar haar oor. 'Het klept al…'

Toen ik het trage gebeier van de klokken hoorde, met lange stiltes tussen de slagen, sloeg de verveling toe. Alles liep vast in de hitte.

De plaatsen waar de grote mensen kwamen om zich te vervelen, waren zo anders dan de kamers waar mijn eigen verveling woonde. In het café, op zondag na de mis, klotste het tikken van dobbelstenen, de kreten van de schutters of de harde slagen van vuisten vol kaarten op de tafels samen in een stroom van eentonigheid waarop ik zeeziek ronddreef. Ik klampte me vast aan de poten van de barkruk, aan de benen van mijn vader, die lachte en bier dronk.

Er was de zachte verveling van vrouwen. Van de rokken die ze 's avonds, wanneer ze stoelen tegen de gevel hadden gezet, over hun knieën trokken. Ze praatten zelden, maar vingen met gerekte halzen het laatste licht en werden, in een ogenblik dat eeuwigheden duurde, even weerbarstig zichzelf als mijn poppen of beren, op die intens monotone dagen dat alles mijn verbeelding weerstond.

Op de zolders boven de stallen had de verveling zich jarenlang ongestoord verdicht tot strobalen die meer uit stof bestonden dan uit stro, en in de dozen met roestig bestek, ergens onder in de werkbank van mijn vader, hoefde ik maar een blik te werpen om me even wanordelijk verloren te voelen als die bruin uitgeslagen lepels of vorken, die een zure smaak achterlieten op mijn vingertoppen.

Maar niets was doodser dan de verveling van een kerk, waar de gewelven elke seconde gevangen hielden en de pastoor als een marionet aan onzichtbare touwtjes boog en knielde, brood brak en wijn dronk, zonder dat ik mocht proeven.

Een kerel met een kepie op en een gouden kies in zijn mondhoek had ons opgewacht in het portaal en nadat de kist uit de wagen was gehesen, met een achteloos gebaar de vrouwen van de mannen gescheiden.

Mijn vader had me op de stoel naast de zijne gezet en me een pluchen beest in handen geduwd. Een rij achter ons zat Roland nerveus heen en weer te wiegen. Af en toe keek hij op naar zijn vader of het niet te veel op diens zenuwen werkte.

Cymbalen rinkelden. Mijn vader draaide onze stoelen en knielde. Ik ging met mijn rug naar het altaar zitten.

Roland probeerde de tippen van mijn schoenen te grijpen. Een handvol muntgeld kletterde uit zijn vingers over de vloer.

'Raap dat op,' siste zijn vader.

Hij kromp in elkaar. Thuis moest voor hem een wereld zijn met plaatsen waar je kon schuilen, en andere, waar hij reikwijdtes berekende en vluchtwegen in het oog hield, zoals vanochtend, toen hij bij de minste beweging van zijn moeder wegdook in de jassen aan de kapstok. Ze zat aan de andere kant van de middenbeuk, met de kist tussen ons in, en knielde met een overgave die tante Odette een vage schimplach ontlokte. Toen de pastoor de offerschaal bovenhaalde, nam ze uit haar handtas een rolletje papiergeld dat als een binnensmonds verwijt onnoemelijk stiller ritselde dan het harde, maar karige gerinkel van de munten uit de beursjes van de andere tantes.

Zelfs in de kerk, onder de hemelhoge pijlers, leek ze als een olifant alle ruimte op te zuigen en wie in haar omgeving verkeerde in een hoek te drummen. Roland moest uit haar lijf gevallen zijn zonder enig spoor na te laten, hoogstens een rimpeling die meteen was vervlakt. Als een onwelkome gedachte, een nare opwelling, moest hij haar ontschoten zijn, een dagdroom die ze had verdrongen en die sindsdien aan deurhendels trok of vazen omgooide.

Op de vloertegels aan mijn voeten volgde ik de grillige calcietpatronen als de loop van rivieren op een landkaart, tot de voeg ze afbrak. Om me heen vielen de glasramen in de zuiderbeuk in kleurvlekken uiteen. De tijd verzandde.

Het leek me een vreemde verzuchting van grote mensen om altijd stil te zitten, niet of nauwelijks te bewegen, en zich uiteindelijk weg te stoppen in een doos met een deksel erop, en dan dood te zijn.

Toen de pastoor met de kwispel om de kist heen liep en ons gul met wijwater beregende, trok ik afwezig de kap van mijn jas over mijn hoofd. Mijn vader legde ze lachend weer op mijn schouders.

'Nog een klein beetje geduld,' zei hij. 'Het is bijna gedaan.'

In de berg aarde naast het gegraven gat tussen de zerken

lieten regenwormen even hun glimmende, vette lijven zien, voor ze weer onderdoken. Roland hield zich vast aan de hand van zijn vader en keek voorzichtig over de rand. Aardkluiten vielen met doffe tikken op het hout.

Twee avonden eerder had mijn vader me midden in de nacht gewekt. Hij had me op de arm genomen en naar beneden gebracht. Mijn moeder had bezwaar gemaakt, maar hij had geantwoord: 'Een kind mag dat zien.'

We stonden aan het voeteneind. Naast me lieten de tantes de paternosters tikken, de kralen vlogen door hun vingers.

Rolands vader had Michels hoofd ondersteund, twee paar handen hadden de romp en de benen opgetild. Even spotziek als misprijzend had hij zich in de benauwenis der planken laten neerleggen.

Alleen toen de tantes een voor een zijn voorhoofd kusten, had het even geleken alsof hij nors de ogen had opgeslagen. Er moest iets gebeurd zijn waardoor hij oneindig boos was geworden. Een koppige woede had hem nog grondiger verlamd dan de kwaadheid die me soms overkwam wanneer mijn moeder mijn blokken verstopte en ik verbolgen mijn adem inhield.

Mijn vader had zich boven de kist gebogen, vlak voor het deksel dicht ging. Hij had mijn hand op Michels voorhoofd gelegd.

'Koud,' had ik gezegd.

Mijn moeder was naar buiten gelopen.

'In de put,' riep Roland. Zijn moeder legde abrupt haar hand op zijn mond en trok hem naar achteren, de menigte in.

Wat later zag ik hem het kerkhof uit lopen, voorbij het smeedijzeren hek.

Zijn vader vloekte binnensmonds maar ging hem niet achterna.

Ergens begon een hond te blaffen en nog geen minuut later liep Roland wasbleek weer het kerkpad op. Dat hij bang was, riep leedvermaak in me op.

Zijn vader draaide zich om, 'Kom hier,' en stak zijn arm uit.

Roland bukte.

De grafdelvers duwden de spaden in de aarde.

'Kom maar bij ons lopen,' zei tante Alice.

Mijn vader had zijn arm om mijn moeders middel geslagen. Mensen liepen voorbij, namen hun hoed af, mijn vader knikte.

We keerden terug, door de velden buiten Stuyvenberghe om, waar de wegen grillige bochten maakten, tot bij de dijk van het kanaal.

Iedereen zweeg. De hitte werd drukkend.

'Een meter zeventig,' zei Flora. 'Ik dacht dat hij kleiner was.'

Tante Odette knipte haar handtas open en stopte haar zakdoek weg.

'Een lijk ziet er altijd kleiner uit.'

Op het binnenerf, onder de beukenboom werden de tafels uitgeklapt, de glazen volgeschonken en boterhammen in stapels op dienbladen aangevoerd. Zodra we thuis waren gekomen, was Rolands moeder naar boven gelopen om haar donkere dracht in te ruilen voor een zalmroze jurk.

De tantes spraken er schande van.

''t Is soms rapper gepasseerd dan ge peinst,' zei Rolands vader. 'Ik zou mijn eigen willen opkuisen als ik doodga. Ge laat toch altijd iemand met de miserie zitten.'

'Ge waart een jongen met een staartje, een staartje. Een kerel met een baardje,' zong Flora. Haar wangen deinden op de maat waarmee ze me op haar knieën liet dansen.

'Blij dat ik was, toen gij geboren werd. Blij! Corneel en ik hebben alleen maar meiskes gemaakt, en tante Odette, het schaap, is nooit van de straat geraakt. Die wist veel te goed wat ze wilde. 't Was nooit goed genoeg. Te dik, te dun, te rijk, te arm.'

Ze zette haar glaasje port aan mijn lippen.

'Toe maar. Toe,' zei ze zacht terwijl niemand keek, en nog eens, en nog eens, tot de wereld samen met mij langs haar kuiten omlaag schommelde.

Het was een van die dagen dat de mieren in trossen hun nesten verlieten, in kolommen boven de boomtoppen dansten en zwaluwen als scharen door de zwermen flitsten.

'Anton, moet gij geen boterham hebben?' riep mijn moeder, maar ik antwoordde niet.

Ik liep het erf af, naar de stenen trap die uitgaf op de moestuin en de schutting waar de wingerd langzaam de kruin van de beuk in bezit nam.

Ik verlangde ernaar in de boomgaard te spelen, in de moestuin, achter de beschutting van de hagen, waar rond deze tijd van het jaar de roerloze middag even trilde wanneer een perzik uit de boom viel en twee, drie keer door de graspollen stuiterde. Ik wilde zien hoe de hemelsleutel in de barsten tussen de stenen zijn kroon van vette bladeren dichtvouwde tegen de zon, en het lijzige gedruis aanhoren wanneer de kippen hun vleugels als waaiers openklapten.

Ik wilde naar de rand van de boomgaard lopen, over het zandpad, mijn arm voorzichtig door de doornheg wurmen en de eerste bramen plukken, daarachter, in de onbekende weidsheid buiten mijn ziel.

Onder de pruimenboom lagen de eerste nog niet helemaal rijpe vruchten te gisten. Nog even, en wolken vliegen of wespen zouden om het door de hitte gebarsten vruchtvlees gonzen. Nog later zouden de afgekloven pitten in het gras verbleken.

Op de ijskelder, bij de vijver die lang voor België bestond gegraven werd en later weer gedempt, liet de treures zijn lange takken hangen. Mijn vader leunde tegen de stam en zei: 'Kijk, daar beneden moesten we slapen, in dat donker gat daar, toen de vliegers kwamen. Op stro, gelijk de konijnen. Weet ge 't nog, Roger?'

Nonkel Roger knikte. 'Ons vader zei: Geen beter dak dan boomwortels. Dat houdt de stenen samen. Maar hij sloeg toch een kruis toen ze de brug bombardeerden. De stukken vlogen tot over de schuur.'

'We hebben geluk gehad,' zei mijn vader. 'Verdomd veel geluk. Ge denkt daar niet aan als ge klein zijt. Ik vond het schoon. Schoner dan vuurwerk.'

'En in de winter van eenenveertig,' sprak nonkel Roger, 'toen we over de vaart naar school liepen. Kwaad dat ons moeder was. Het ijs was zeker een halve meter dik.'

'Ze was altijd ongerust. 't Is maar als ge zelf kinders hebt.

Dan weet ge waarom.' Mijn vader haalde zijn handen uit zijn broekzakken, haalde diep adem, gaf me een tik en riep: 'Om het eerst beneden.'

Ik stoof de helling af, wankelend over de graspollen.

Hij liet me een voorsprong nemen. 'Pas op. Er zit een lelijk beest achter u,' riep hij.

Over mijn schouder zag ik nonkel Roger op handen en voeten op me af komen kruipen. Hij had zijn tanden ontbloot en gromde vervaarlijk.

'Een grote hond,' lachte mijn vader. 'Hij zal in uw billen bijten.'

Mijn voet schoot in een kuil. Ik viel languit voorover.

Twee handen grepen me onder mijn oksels beet, trokken me op. Nonkel Roger zette zijn tanden in mijn hals, mijn buik, en zwierde me aan mijn armen in het rond.

Lucht om mijn oren. Gekriebel in mijn buik.

'Zo zat, zo zat, zo zat als een Zwitser zijt gij.' Hij zette me neer.

Ik viel op mijn rug.

Kruinen, daken, wolken zwalkten vervaarlijk om me heen. Ik hoorde de tantes de borden naar binnen dragen, stoelen werden dichtgeklapt.

Mijn vader knielde bij me neer. Het was zomer. Boomtakken zwaar van lover en een blauwwitte hemel daarachter.

Ik liet mijn handen over zijn blote onderarmen glijden.

'Zo zat, zo zat als een Zwitser zijt gij.' Hij gooide een handvol gras in mijn gezicht.

Ik blies de halmen weg, graaide naar zijn hals, en de wereld viel van puur plezier aan scherven.

II

I

Bijna twaalf, en niets vervulde me nog. Zienderogen groeide ik uit al mijn hemden. De wereld die me behaagziek had omhuld, leek steeds meer op oud behang dat ieder moment van de muren kon vallen. In de spiegels van de kasten vertoonden zich nog altijd robuuste ledikanten, kruisbeelden tegen de wanden onder de schakelaar van de lamp. Evenveel Verlossers, vertind, verkoperd of in porselein, kronkelden aan de spijkers. In de kamer die ooit van Alice was geweest, hing in de palmtak nog altijd een zweem van het parfum waarmee ze hem had besprenkeld sinds de dag toen ze ontdekt had dat wijwater gewoon uit de pomp kwam, ook al was het door de pastoor gezegend.

De wereld was ijler geworden, droog als een mummie of een nooit vlinder geworpen pop diep in de bast van een boom. Een donderslag was genoeg om hem te verpulveren.

's Zomers konden de rijen populieren aan de horizon de schoorstenen van het nieuwe industriegebied nog verbergen, maar 's winters verleenden de kale fabrieksgevels het zonlicht de kilte van aluminium. En ook al had mijn vader een nieuwe haag aangeplant, een hoge groene muur, daar waar de graafmachines een deel van de tuin en de akkers erachter hadden afgegraven, het gedender van laadbakken over de nieuwe, verhoogde brug spoelde ongehinderd over de daken van de stallen en sloeg neer op het binnenerf.

Aan de horizon raasden auto's over wegen die er voorheen niet waren.

De verlichting boven de gloednieuwe snelweg wierp een oranje schijnsel door de nacht. Een paar jaar voordien hadden de burgemeesters van de omliggende dorpen de nieuwe oprit plechtig in gebruik genomen. Zij aan zij hadden ze de schaar in het tricoloren lint gezet. Hun handgeklap is verstild tot een foto in de plaatselijke krant, op een grijze dag, ergens in een late herfst. Tussen de hoeden en versgeperste dameskapsels door kijken ook mijn vader en nonkel Roger, van elkaar gescheiden door Rolands moeder, haar mond gestold in de 'o' van bravo, op naar de reporter die de milde spot in hun ogen met een klik heeft vastgelegd.

Stuyvenberghe, ons nest, had nu zijn eigen aansluiting op het moderne vooruit. We moesten er de zoetzure vruchten nog van plukken, maar op de achtergrond stond de fanfare klaar, op het kerkplein was er kermis.

'De Callewijns zijn een oude struik,' placht mijn vader te zeggen. 'Veel jeugd vroeger, veel ouderdom nu.' Het liefst had hij tien kinderen gehad. Tien beddingen waarin hij zijn treurnis te rusten kon leggen, zonder zijn nooit bewaarheid geworden hoop op mij en mijn ongeboren broers of zussen los te laten. Hij had mechanicus willen worden, technisch ingenieur. Hij zou de schroeven hebben aangedraaid van de wereld die nu rondom ons in de steigers stond, de nieuwe illusies die de onze tegen de vlakte gooiden. Al op zijn tiende tekende hij onderdelen van onmogelijke machines. Relais en schakelingen. Ingewikkelde motoren. Oneindig complexe pompsystemen die zijn dromen verplaatsten en ze, toen hij zeventien was, in rook lieten opgaan. Zijn vader was ziek geworden. Zes weken na het onderzoek ging zijn eerste been eraf. Niet lang nadien het tweede. Het zat ook in zijn longen. Hij stierf een jaar later. De gronden werden verpacht, de stallen grotendeels leeggehaald. Iemand moest kostwinner worden en aangezien Nonkel Roger al zo lang studeerde, moet mijn grootmoeder met haar vooroorlogse fatalisme besloten hebben dat haar jongste met minder hartzeer van school af kon.

Van toen af aan keerde mijn vader iedere avond rond zessen naar huis terug, wit van het stof in de silo's van de meelfabriek. Hij goot er graan in sleuven en hoorde het over transportbanden ratelen, voor het verdween in machines die hij nooit ontworpen had.

Ik bleef enig kind, de jongste loot aan een kruin die stilaan verdorde. Een scharminkel van elf. Te frêle om alle verleden in mijn botten op te stapelen en nog veel te onaf voor de toekomst die aan mijn scharnieren morrelde. Mijn gewrichten zwollen, mijn beenderen rekten zich uit. 's Nachts joegen mijn spieren als aangespannen snaren pijnscheuten door mijn slaap.

Mijn stem was al gebroken, op een hoge la in een 'bonae voluntatis' op Maria Hemelvaart, in de schemering van het doksaal. Meester Snellaert, de dirigent, wiens ogen onder de lokkende hoogte van mijn knapenstem altijd waren volgelopen, had me resoluut verbannen naar de achterste rij, bij de alten. Ik zat er naast een meisje dat Roswita heette, met een hoog, bijna driehoekig gezicht en een boezem die ruim voor de rest van haar lijf de volwassenheid had ingezet. Ze moest nog wennen aan haar bustehouder, aan de riempjes, haar gareeltjes zei ze zelf. Regelmatig gleden ze over haar schouder omlaag, waarna ze met een zucht die evenveel trots als verveling verried haar hand in de kraag van haar blouse of trui stak om ze weer op te trekken.

Als ze 's avonds op haar kamer haar vlinderlichte juk van haar schouders nam, moeten de gareeltjes een even rood spoor in haar vlees hebben achtergelaten als destijds de afdruk van baleinen of jarretelles in de heupen van de tantes, maar ze was nog lang niet zo kwabbig als Flora, in wier billen, voor ze kanker had gekregen, 's morgens de rimpels van de lakens hele canyons hadden gekerfd, die maar langzaam verdwenen.

De tijd rondde meisjes af tot vrouwen, wikkelde hen in vet, belegde ze met wolligheid en kussentjes. In mij knipte hij zonder mededogen oude verbindingen doormidden en herschikte onder mijn oppervlak al mijn onderdelen. Het waren de jaren waarin ik op mijn tanden begon te bijten en dagenlang kwaad kon zijn zonder te weten waarom.

Iets moest onherstelbaarder veranderen dan ik. De deuren van mijn autootjes moesten onvast in hun hengsels klapperen wanneer ik ze over de oneffen vloertegels liet hobbelen. Er moest zand uit de zandbak in hun assen knarsen, ze moesten hun wieltjes verliezen, over de planken het trapgat inschieten en onder aan de treden opgaan in een orgie van schroot en ledematen. De naden in de romp van mijn beren had ik losgepeuterd en mijn vingers in het binnenste gewurmd op zoek naar milt of lever. Zelfs de irritante ondoordringbaarheid van mijn blokken, met de jaarringen van de boom in hun oppervlak, had ik met mijn tanden op de proef gesteld.

'Ge zijt het niet waard om zulk schoon goed te krijgen,' riep mijn moeder, met een blik op de slachting van armen en benen rondom mijn bed, de opengesperde handen met ingedeukte vingernagels, de rompen en hoofden, leeg en gapend als het afgeworpen vel van een reptiel of insect.

Ze kocht mijn kleren op de groei. Mijn hemden wapperden al te tochtig om mijn ribben, mijn broeken moest ik met een stevige riem om mijn heupen verankeren.

'Ge verslijt rapper,' zei ze, 'dan uw vader het verdienen kan. Het geld groeit ons niet op de rug.'

Altijd weer had ze weet gekregen van obscure magazijnen of handelszaken in de opruiming, waar schoeisel of textiel voor minder dan de helft van de prijs voor het oprapen lag. Ze commandeerde dan mijn vader de wagen in, stapelde mij op de achterbank en haalde uit de zakken van haar onderjasje, uit de spraakverwarring van briefjes, boodschappenlijstjes en kastickets, de routebeschrijving die een buurvrouw of verre nicht voor haar had uitgespeld.

'We rijden best binnenom,' luidde steevast haar bevel, alsof de rechtlijnigheid van de snelweg al te zeer indruiste tegen de grillige landkaarten in haar geest.

Mijn vader had het opgegeven om te protesteren. Zelfs de lijdzame zucht voor hij de sleutel omdraaide in het contact had hij allang achterwege gelaten. Ook al duurde het nog geen uur voor we, compleet het noorden kwijt, over bochtige landwegen laveerden en mijn moeder naast hem steeds verbetener neerkeek op het verfomfaaide papiertje in haar vingers, en dan weer naar buiten, op zoek naar een telefooncel met een plastic vuilnisbak ernaast, een voortuin met azalea's, of die frituurtent waar we links moesten afslaan, of rechts en dan de spoorweg over, onveranderlijk nam het ongeduld van mijn vader de vorm aan van een onderkoeld soort respect, dat als een mist van ijskristallen de binnenkant van de ramen leek te beslaan.

Af en toe wierp hij een blik in de spiegel. Zijn blik kruiste de mijne: we begrepen elkaar.

Het ging altijd naar verwaarloosde fabrieksgebouwen in de rafelige zoom van de stad. De gevels vertoonden sporen van oude reclameborden die waren weggehaald en vervangen door haastig beschilderde plakkaten met opschriften als 'Lido' of 'Textima', namen van schimmige firma's die als papavers uit het braakland opschoten en meteen weer verwelkten. De trooseloze euforie van slogans als 'Alles voor bijna niets', 'Nog goedkoper kan niet', of 'Uw grote voordeelparadijs', deed mijn moeder de pas versnellen.

Binnen, in de schemering van enkele neonlampen, waarvan de helft enerverend hing te knipperen, vond een massale plundering plaats. Vrouwen met man en kroost achter zich aan, even berustend en verveeld als mijn vader en ik, woelden in bakken vol kleren. Met sokken of slipjes tussen hun romp en ellebogen geklemd zeilden ze even zwaar en gonzend als hommels beladen met stuifmeel van mand naar mand en snuffelden, klauwden en graaiden.

Alles moest ik aan. Waren er geen pashokken dan diende ik open en bloot uit de kleren te gaan, hoezeer ik ook protesteerde.

'Doe niet zo onnozel,' riep mijn moeder dan. 'Geen mens die op u let. Er staat toch nog geen haar tussen uw benen.'

De eerste vier had ik nog weggeknipt, verbijsterd door

de potsierlijke aanblik die ik bood in de spiegel op mijn kamer, alsof de natuur in mijn liezen de snorharen van een poes had voorzien, een knevel die zich van snoet vergist had. Wekenlang hadden de stoppels mijn dijen geïrriteerd. Ik had ze afgeschoren met mijn vaders scheermes en de wonden met Keuls water geschroeid. Toen had ik het opgegeven.

Als ik lang genoeg weerstand bood, dan wist ik dat mijn moeder te langen leste haar regenjas zou openknopen om de beide slippen als een tentzeil of windscherm om me heen te hangen, waardoor ik enigszins beschutting vond maar me tegelijk nog dieper ging schamen. Ik voelde me het overjaarse jong van een kangoeroe, te klein voor de wereld, te groot voor de buidel. Vruchteloos zocht ik in zulke ogenblikken mijn vader, die zich wijselijk van het gênante tafereel had afgewend en me pas later, als de beproeving voorbij was, een zalvende schouderklop zou geven.

Tenslotte belandde alles opgevouwen in mijn kast en zoog zich langzaam vol met het parfum van de lavendelzeep, het waarmerk van mijn moeders netheid. Alleen om haar drang naar properheid in mezelf te bevechten, liet ik mijn kamer verworden tot een nest van proppen papier, stapels boeken, lege glazen, vuile kleren. Om me te voelen vollopen van een gemelijk verzet wanneer ze 's ochtends vroeg in haar kamerjas voorbij schoof en ik haar ergernis bijna tegen de deur kon horen klauwen.

Het was dan maar een kwestie van tijd voor ze zich niet langer kon bedwingen en bij voorkeur 's zaterdags, wanneer ik uitsliep, bij me binnenviel als een eenmansleger gewapend met emmers, zeemvellen en borstelstelen. Ze trok

dan de lakens weg, goed wetende hoezeer ik me voor mezelf negeerde. Met amper verholen leedvermaak keek ze
toe hoe ik me ijlings op mijn buik wentelde en met een arm
onder het bed naar mijn onderbroek zocht. Soms zou ze
zich bukken, alsof ze behulpzaam met me mee wilde zoeken, om uiteindelijk een verdwaalde sok, een vieze zakdoek
of een bepluisd onderhemd als een dode rat tussen haar
duim en wijsvinger te houden en theatraal in de wasmand
te laten vallen. Doorgaans sprak ze geen woord, ervan
doordrongen dat het gekletter en geschrob, het rinkelen en
ritselen dat me tot beneden achtervolgde, de beste woor-
denschat bood voor alles waarin ik haar ontgoochelde.

Die zaterdag, eind augustus, was het haar menens. Bij het
ontbijt hielden mijn vader en ik ons gedeisd. Ik keek diep in
mijn bord. Hij las zijdelings de krant, opengeslagen tussen
de kruimels en spatjes jam op het tafelblad. Ongedurig liep
ze heen en weer, schikte onderliggertjes en verlegde voor
de derde of vierde keer mijn stapel strips van het ene bij-
zettafeltje naar het andere.

'Paradijs,' fluisterde mijn vader terloops. Hij had de
krant dubbelgevouwen op de pagina met de kruiswoord-
puzzel. 'Vier letters.'

'Eden,' zei ik.

Hij trok zijn wenkbrauwen op, zette de punt van zijn bal-
pen op het blad en knikte.

Ik wist dat hij het woord ook zelf wel kende. Evengoed
moet hij geweten hebben hoe riskant het was om, nu mijn
moeder rusteloos om ons heen scharrelde, de indruk te
wekken dat hij zich amuseerde.

Ze liep naar de schoorsteenmantel. Ik zag een huivering door mijn vader gaan. Als er maar geen onbetaalde rekening was achtergebleven, tussen de enveloppen achter de pendule, die ze, nutteloos maar gewichtig, precies evenwijdig met de rand van het schouwtablet zette.

We doken als schoolkinderen weg toen ze langs ons heen naar het achterhuis liep. Ze kwam er weer uit tevoorschijn met haar grijze nylon schort aan.

'We moeten de kamer boven proper zetten,' zei ze kortaf. 'Ik ga niet wachten tot een halfuur voor ze hier zijn.'

Ze had een sjaal op haar hoofd gelegd en hem onder haar kin vastgeknoopt. Haar voeten staken in blauwe rubberen schoenen. Met de borstelstelen als hellebaarden onder de arm liep ze naar de trap.

'Maar eerst die stal van u uitmesten,' liet ze zich in het voorbijgaan ontvallen, zonder me aan te kijken.

Ik hoorde haar de trap bestijgen. Ze vloekte toen een handborstel uit een emmer glipte en over de treden omlaag gleed.

'Waarom ruimt ge niet af en toe zelf op?' vroeg mijn vader. Hij verwachtte geen antwoord, maar stond op. 'We zouden er beter ook aan beginnen.'

Boven, op zolder, stonden onder een oude deken de planken van het bed dat we in elkaar moesten steken.

'Het bed,' had mijn moeder in de dagen voordien met regelmaat herhaald, 'het bed moet naar beneden,' op de zanikende toon waarmee ze haar grieven als leidmotieven door haar conversaties vlocht.

We droegen de planken de trap af, naar de kamer naast

de mijne, waar ze als een wervelwind tekeerging. Ik kromp in elkaar onder het rumoer van de omgekeerde ravage die ze aan het aanrichten was. Mijn dozen met de laatste verhakkelde resten van beren en poppen had ze op de gang aan de deur gezet om ze te verbranden in de achtertuin. Ik kon me moeiteloos de gruwel voorstellen die op haar gezicht moest hebben gestaan toen ze de bokaal met dode meikevers naar buiten droeg, en haar verbijstering bij het ontwaren van de bonenplant, waarvan de wortels als klauwen verdwenen in de holten van de spons waaruit ze, voor ze waren verdord, de laatste druppel vocht hadden opgezogen.

De planken moest ik van mijn vader waterpas houden terwijl hij ze in de gleuven van het voeteneind liet glijden en de bouten aanschroefde.

Mijn moeder schrobde de roestbruine streep in de wastafel schoon en de kalkvlekken op de spiegel erboven, tot ze er moedeloos van werd en het opgaf. Ze dreef het zeemvel over het blad van de kleine secretaire die mijn vader van een nieuwe laag vernis had voorzien en belegde de schappen van de wandkast met donkerbruin papier.

Een paar dagen eerder had ze de vloer met lijnolie ingewreven. De bedwelmende, petroleumachtige geur vermengde zich met de vage onrust in mijn borst nu het maar een paar uur meer kon duren voor mijn neef Roland zou arriveren.

Had niemand voordien gemerkt dat er iets met Rolands moeder aan de hand was? Op elk familiefeest, bij iedere begrafenis had haar bont steeds duurder geglansd en het poeder in almaar zwaardere streken op haar wangen gelegen. Samenkomst na samenkomst had ze vervaarlijker op haar benen gewankeld, alsof ze elk ogenblik onder de last van haar gouden armaturen kon bezwijken. Op den duur hing er een schatkamer van edelgesteente om haar hals en polsen. Hoe uitbundiger ze zichzelf had opgedoft, des te wanhopiger haar rijkdom geflonkerd had.

Die ene keer dat ik bij ze thuis kwam, in die smetteloze villa met witte zwerfstenen en een armoedige fontein in de voortuin, dompelde de glinstering van de kiezels langs het tuinpad en de Chinese vazen op de vensterbanken me onverbiddelijk onder in een deftigheid die minachtend op me neer keek. Thuis mocht ik met vuile handen aan tafel. In het grauwe sop rond de mestvaalt kon ik ongestraft bootjes uitzetten. Ik droeg de lucht van de stal als een boers parfum met me mee, en scheurde ik bij het zoeken naar merelnesten in de hulsthaag soms mijn hemd, dan kreeg ik zelden een klap om de oren, hoogstens een kwaaie blik, en daar bleef het bij.

Ongemakkelijk hadden we die middag rond tantes tafel plaatsgenomen. Star als borstbeelden uitgekeken over het kanten tafelkleed en schalen vol gebak dat eruitzag als woest geboetseerd aardewerk.

Tante had sierlijk haar mes in geglazuurde taarten laten glijden, en toen haar duim in een arabesk van slagroom was blijven steken, had ze gejammerd alsof er een halsmisdaad was begaan. Ze was naar de keuken gelopen, waar we haar langs het aanrecht hoorden schuren terwijl ze herhaaldelijk haar neus snoot. Er was een onbehaaglijke stilte gevallen, waardoor het getik van de wandklok in de hal iets sarcastisch verkreeg.

Geen ogenblik was het in Roland opgekomen me mee te nemen. Als gebeiteld was hij blijven zitten op zijn stoel, de handen onder zijn dijen, en toen we eindelijk door zijn vader werden weggestuurd, bleek de helft van de deuren in huis op slot.

Achter de sleutelgaten schuilden sofa's met wulpse bokkenpoten, die zelden werden bezeten. Kussens, onberoerd sinds de dag dat ze beeldig tegen de leuningen waren geschikt, of boeken, levenslang gekerkerd achter glas, met maagdelijke ongebroken ruggen.

Nergens had mijn neef kistjes met schelpen verborgen. Op zijn kamer was er geen enkel schap met stenen, opgeraapt uit de beek, om de illusie van goudaders in hun nerven, die niemand vóór hem had aangeboord.

We liepen de tuin in. Hij toonde me de slierten touw aan de tak van een hemelboom waar zijn schommel had gehangen, tot de dag dat hij met plank en al in moeders dahlia's was beland.

Onhandig draalden we tussen de perkjes met bukshout en schopten heel voorzichtig een bal naar elkaar toe, bang om bij een slechte gemikte zet een Griekse god van zijn voetstuk te stoten. Achter de schutting van de buren hoorden we meisjes in een zwembad spelen. Strandballen deinden als kleurige betoveringen boven de coniferenhaag. Elders bestormden jongens zandkastelen, zetten hinderlagen op en oorlogen in een handomdraai.

Sinds die dag zag ik Roland steeds vaker zonder zijn moeder, en altijd maar heel kort. Later, toen hij naar de grote school moest, werd er gezegd dat hij met vaatwerk gooide, ruiten brak en uit winkels stal. Ze stuurden hem op kostschool, maar daar had hij de tent zo erg op stelten gezet dat hij halverwege het schooljaar weer was weggestuurd. En toen, in de zomer voor ik twaalf zou worden, kwam zijn vader helemaal alleen op bezoek. Ik zag hem aan een hoek van de keukentafel met mijn vader jenever drinken. Zijn ene arm hing lam over de rug van de stoel, zijn vingers prutsten aan de loszittende biezen van de zitting en zijn aangezicht was even vaal als een wolkendek vlak voor een hagelbui.

Toen hij weer vertrokken was, nam mijn vader me mee naar de boomgaard.

'Roland komt een tijd bij ons,' zei hij. 'Het is voor iedereen het beste.'

In de oude paardenstal stond mijn nieuwe fiets al klaar. Een fiets met een stang, een grote lamp en een dynamo die zachtjes loeide toen ik in afwachting van Rolands komst hard op de pedalen trapte en over de dijk naar het westen reed. Eenden zeilden rakelings over mijn hoofd en landden op het watervlak. Ik rekte de hals zodat de wind, die me naadlozer paste dan mijn kleren, luidkeels in mijn haren zong.

*Z*ijn vader bracht hem met de wagen. Onwennig stonden ze op het erf tegenover elkaar. Ze haalden de fiets van de bagagehouder, namen twee koffers uit de laadbak, een paar jassen en een zak met winterkleren.

'Ik kom niet binnen,' zei nonkel Roger. 'Ik laat moeder niet graag alleen.'

Roland beantwoordde zijn handdruk met een stijve zoen. Hij volgde de wegrijdende wagen onder de poort door en liep nadien de dijk op.

Vanuit mijn kamer zag ik hem over het jaagpad slenteren. Hij schopte stenen in het water, trok zijn kousen op, ging zitten tussen het groen van de irissen langs de oever en zwaaide af en toe lusteloos naar een schipper achter het stuurwiel van zijn boot.

Sinds hij was aangekomen had hij nog geen woord met me gewisseld. Voor we die avond aan tafel gingen, liep hij werktuiglijk de keuken in, knoopte zijn mouwen los en hield zijn handen onder de pomp. Toen ging hij zitten en sneed nauwgezet zijn brood in parten, zoals wellicht hoorde bij hem thuis.

'Ge zult hier rap wennen,' zei mijn vader. 'Zo anders is het hier niet. We zijn allemaal Callewijns.'

Hij knikte kort, antwoordde beleefd maar niet erg gul op alle vragen van mijn vader en richtte zijn blik weer op zijn bord.

Mijn moeder zat hem zorgelijk gade te slaan. 'Neem nog wat melk,' zei ze geregeld. 'Ruim dat gehakt maar op. Het is de moeite niet om weg te bergen.'

Ik moest een uur vroeger naar bed. Onder mijn raam hoorde ik mijn vader met Roland praten. Ik zag ze broederlijk naast elkaar het erf op wandelen. Een paar maal legde mijn vader zijn hand op Rolands schouder, een keer stak hij hem een zakdoek toe. Roland nam hem aan en keerde het huis de rug toe, alsof hij voelde dat ik hem begluurde.

Ik had mijn nachthemd aangetrokken en lag boven de dekens in het rond te kijken of mijn kamer ondanks de grote zuivering die mijn moeder er had aangericht, niet al te zeer Rolands spotlust zou opwekken. Hij was al groot, droeg halflange broeken en lange kousen, zodat van zijn benen alleen zijn grove knieën onbedekt bleven.

Ik zou posters van auto's ophangen, misschien ook van wilde dieren uit Afrika, om het behangpapier met breed grijnzende, menselijke vliegtuigjes wat weg te stoppen. Mijn etui met nieuwe pennen voor straks, op de grote school, had ik al op mijn tafel gelegd, naast een kladschrift dat door de beduimelde, half omgeplooide hoeken een indruk van ernst, geleerdheid en arbeid moest laten verstaan. Een van de dertig delen van mijn vaders encyclopedie had ik beneden uit zijn kamer gehaald en schuins op tafel geplaatst, met het leeslint quasi toevallig over de foto's van duikboten uit de oorlog.

'Ik zal straks uw kleren uitpakken,' hoorde ik mijn moeder roepen vanuit de keuken, maar toen hij wat later naar boven kwam, hoorde ik dat hij zelf zijn koffers droeg.

Vreemd genoeg trok hij de deur die onze kamers verbond niet dicht, maar liet ze half open staan, en ik, veinzend dat ik al sliep, kon moeilijk opstaan om ze te sluiten.

Hij stak de lamp op het nachtkastje aan. Ik hoorde hem de beide koffers openritsen, een op de tafel, de andere op het bed. In de vallende duisternis trok ik zijn geluiden behaaglijk over me heen en draaide me op mijn zij. Ondanks het onbestemde onbehagen dat zijn komst in mij had teweeggebracht, was ik blij niet langer alleen te zijn.

Zijn sokken liet hij allemaal tegelijk in de onderste lade van de wandkast vallen, maar voor zijn hemden of broeken liep hij telkens weer van het bed naar de kast en naar de tafel, om alles stuk voor stuk uit de koffer te nemen en op een van de schappen te leggen. Hij nam knaapjes van de stang, hing er zijn pantalons aan op en sloeg zacht, maar bepaald niet halfslachtig, de pijpen in de plooi. Zijn schoenen moest hij beneden al hebben uitgetrokken en ze onder zijn armen hebben meegedragen, erop bedacht misschien me niet te wekken, maar iedere keer kriepte onder zijn kousenvoeten die ene losliggende vloerplank.

Waarom hij altijd weer, nadat hij iets had opgeborgen, de kastdeuren sloot, om ze meteen weer te moeten opentrekken en nadien opnieuw sluiten, was een raadsel voor mij. Er ging een kille, machinale nauwgezetheid van hem uit. Ze herinnerde me aan zijn plagerijen van weleer, aan zijn wreedheden wanneer hij op familiefeesten door de tuin liep, vlinders hun vlerken uittrok en dan toekeek hoe ze krachteloos ter aarde stortten, vlak voor zijn zolen ze vermorzelden.

Anders dan ik, die soms kevers van hun voelsprieten ontdeed of motten bij hun poten tussen duim en wijsvinger gevangen hield, alleen om een flagrante droefenis in me op te roepen terwijl ze poogden te ontkomen, beging hij zijn folteringen ogenschijnlijk zonder het mededogen van de ware beul. Zelfs de wandaden waarmee hij zijn ouders altijd op de proef had gesteld, leken meer op een richtingloos verzet, dan op de steeds geraffineerder terreur die ikzelf op mijn moeder losliet. Ik werd twaalf en testte mijn krachten. Een paar woorden waren genoeg om haar in tranen te krijgen. Ik bespeelde haar woede als een harp en vervloekte ziek van genot mijn eigen hardvochtigheid.

Nu kwam ze Rolands kamer in met een paar zeepjes en reukwater om op het boord boven de wastafel te zetten. Hij bromde onbestemd: 'Dank je wel,' en toen er een stilte viel wist ik dat ze op het bed was gaan zitten, naast de koffer, met haar handen op haar knieën.

Ook al kon ik amper begrijpen wat ze fluisterde, ik wist dat ze dingen moest zeggen als: 'Uw moeder wordt wel beter. Overmorgen begint de school weer. Dan kunt ge uw gedachten op iets anders zetten.'

Aan het gestommel van zijn voeten over de planken kon ik horen dat hij haar weg wilde. Ze bracht zijn cirkels in de war, zijn verbeten ritueel van uitpakken en opbergen, van openen en sluiten. Hij liep de tred van een gekooide panter.

Mijn moeder sloeg met haar handen op haar dijen en zei: 'Ik ga nog wat werken.'

Aan de droge smak van haar mond had ik genoeg om te begrijpen dat hij bokkig haar zoen moest hebben afgeweerd, waardoor haar lippen zich ergens op zijn voorhoofd hadden geplant.

Ik weet niet hoe lang het hem heeft gekost om alles in de kast te leggen. Ik zal in slaap gesukkeld zijn. Een keer nog werd ik gewekt toen een paar schoenen of een rij boeken hard uit zijn handen viel. Hij vloekte binnensmonds. Wat later opende hij het raam en doofde de nachtlamp.

Toen ik wakker werd, zag ik hem in zijn nachthemd op de rand van de wastafel leunen. Ongeduldig trommelde hij met zijn vingers op de rand terwijl het bekken traag volliep. Geërgerd draaide hij de tweede kraan open en sprong even op toen ze met veel misbaar lucht en gulpen roestkleurig water ophoestte.

Zijn kleren moest hij de dag voordien welhaast meetkundig hebben opgeplooid, zijn broek over de rug van een stoel gehangen, zijn trui en onderhemd op de zitting gelegd, daarboven een paar sokken en een schone onderbroek.

Even vlekkeloos opgevouwen belandde zijn nachthemd op de stoel. In de spiegel boven de wastafel keek hij neer op de reflectie van zijn eigen borst, waarop ik, toen hij zijn hemd had uitgetrokken, een eerste spoor van begroeiing had bemerkt.

Hij was een echte Callewijn. Boomlang en pezig, donker haar, diepbruine ogen. Net als bij mijn vader en mijn ooms maakte zijn bleke huid misschien een slecht doorbloede indruk, maar bij zware inspanning of hevige emotie kon hij in een oogwenk blozen. Zijn schouders waren bezaaid met oneffenheden. Pukkels of zweren sloegen rozige kraters in zijn nog halfkinderlijke oppervlak en moesten kennelijk heel erg jeuken.

Terwijl hij wachtte tot het bekken was volgelopen, zag ik zijn vingers over zijn ruggengraat kruipen. Ik hoorde het droge schuren van zijn nagels over zijn schouderbladen en op zijn dijen, waar de eerste plukken gitzwart haar nog schuchter zijn billen omvatten.

Hij boog voorover, plensde handenvol water in zijn gezicht en snoof, half rillend, half van genot. Hij nam de spons in zijn ene hand, zeepte zijn oksels in, zijn hals, zijn borst en buik, en met een amper hoorbare huivering zijn bilspleet en zijn kruis. De zeeplucht dreef mijn kamer binnen en botste met de lucht van buiten die de geur van aarde en gras door het open raam naar binnen bracht, nog onbezoedeld door hitte of stof.

Zijn voeten waste hij door eerst de linker, dan de rechter op de rand van het bekken te zetten en ze teen voor teen onder schuim te bedekken. Af en toe begon hij op zijn ene been te schommelen en zocht onhandig zijn evenwicht, waarbij de schaduw van zijn geslacht onbeholpen onder zijn billen bungelde.

Hij begon zich af te drogen. Wreef vinnig zijn nekhaar droog, joeg de handdoek over zijn rug, nam zijn onderbroek van de stoel en trok ze aan. Even ging hij door de knieën om zijn ballen te schikken, trok dan zijn sokken aan, zijn onderhemd en trui, ritste de gulp van zijn broek dicht en gordde de riem om zijn heupen.

Bijna was hij klaar. Alleen zijn schoenen nog. Op de stoel gezeten duwde hij zijn voeten naar binnen, trok gezwind de veters aan en legde ze met een zwiepend geluid in een strik. Veters waren voor hem niet langer late navelstrengen die hem aan zijn moeder bonden, zoals de mijne, die ik maar met grote moeite zelf kon knopen.

Hij stond op, een tijdlang keek hij neer op zijn voeten. Toen opende hij de deur, trok ze voorzichtig achter zijn rug in het slot en liep de trap af. Ik was alleen.

Ik stapte uit bed, koesterde de warmte van de zon op mijn voeten en het ruige hout van de planken onder mijn zolen. Het hele ochtendritueel van mijn neef leek nog steeds niet voorbij, alsof het gewapper van zijn handdoek en de gezwinde routine waarmee hij zich had aangekleed de lucht met onzichtbare turbulenties bleef beroeren.

Hij was een onduidelijke jongen van zijn leeftijd. Zijn kamer ademde een orde uit die ik niet van hem had verwacht. Nergens een verloren schoen of een handdoek die was blijven liggen waar hij hem uit zijn handen had laten vallen. Alleen op zijn nachttafel, naast een stapeltje boeken die van groot naar klein waren geschikt, lag een blauwwitte zakdoek in een prop, waaruit een eigenaardig geknisper opsteeg toen ik hem opentrok. Uit het opgemaakte bed waren alle sporen van zijn nachtrust geweken en het raam had de hele tijd opengestaan, zodat ik de onkuise lucht van zijn slaap moest ontberen.

In al zijn haast was hij vergeten het bekken te legen. Ik keek neer in het grauwe sop, waarin zeepvlokken ronddreven en vastklitten tegen de rand.

Ik trok mijn nachtkleed uit en, zoals Roland even tevoren had gedaan, wierp ik een blik in de spiegel.

Langzaam begon ik uit elkaar te vallen in wat van mijn vader kwam en wat van mijn moeder. Haar ogen, zijn neus. Zijn oren, haar handen. Het putje in mijn kin, sinds hoeveel generaties reisde het van aangezicht naar aangezicht? Ik zag het op foto's van mijn grootvader. Ik had er met mijn duim over gestreken wanneer ik vroeger bij Michel op schoot kroop, en zoveel keren toegekeken terwijl mijn vader er voorzichtig het scheermes omheen laveerde.

Bij Roland ontbrak het. Hij had de ronde kin van zijn moeder, ogenschijnlijk het enige wat ze van zichzelf in hem had weten binnen te smokkelen, op een zweem van haar vlezigheid na, een dunne laag vet, vlak onder zijn huid. Hij was niet zo mager als ik, die mijn ribben kon tellen en wanneer ik inademde door mijn buik bijna mijn ruggengraat kon zien.

Ik leek te licht, te geleedpotig voor deze kamer, waar Roland alles zo helder geordend had, rechttoe rechtaan. Al zijn schoenen naast elkaar op de bodem van de wandkast, daarboven zijn jasjes, stijf in militair gelid aan de knaapjes, en zijn hemden in stapels op de schappen, met manlijk gesteven kragen.

Onder aan de trap riep mijn moeder dat ik op mijn kin kon kloppen als ik me niet haastte, maar ik wist dat ik te laat zou komen.

Aan de horizon begonnen klokken te luiden. Ik boog me over het bekken en dompelde mijn handen in het water. De zurige lucht van oude zeep sloeg in mijn neus. De kou deed me duizelen. Ik borg mijn aangezicht in de handdoek, die nog vaag naar Roland rook.

3

Op een hoek van de keukentafel had mijn moeder een beker melk en een bord met een halve snee brood laten staan. Ze stond al buiten te wachten, met de anderen. Ik wist dat ik een oorvijg kon verwachten, niet meer dan wat gewapper van haar hand, waarna ze haastig haar kam zou bovenhalen om mijn haar weer in een zijstreep te leggen.

Hoe dichter we bij het kerkplein kwamen, hoe meer volk zich bij ons vervoegde, hoe luider over de kasseien getrappel van hakken en zolen weerklonk. Gegroefde gezichten boven sneeuwwitte kragen, enkels in glanzende sokken onder de pijpen van gekrompen pantalons, op het plein voor de toren kwam het allemaal samen in een wolk van mottenballen en Woods of Windsor.

Mijn vader hield de portaaldeur voor ons open. Mijn moeder nam met vingers nat van wijwater mijn hand beet en die van Roland, en gaf een teken dat we een kruis moesten slaan.

'Wij gaan hierlangs, naar boven,' zei ik tegen Roland, met een por in zijn zij.

Hij keek op naar mijn vader, die knikte. 'Ga maar mee. Ge zult u ginder minder vervelen.'

Naast de nis waarin de kerkmeester zat te dommelen, trok ik een lage houten deur open en ging Roland voor op de wenteltrap. Mijn hart zwol in mijn borst van verrukking om de kilte van arduin die uit de treden opsteeg, om ons heen naar boven spiraalde en even later, op het koninklijke ogenblik dat ik de deur van het doksaal openduwde en het goudgele licht van het torenraam ons omklaterde, opging in een stoffige warmte.

Meester Snellaert zat al klaar achter de speeltafel, hij had zijn jasje uitgetrokken en zijn mouwen opgerold. Rond hem, op stoelen en banken tussen twee partijen orgelpijpen, als op een open plek in een loden woud, wapperde het koor met liedboeken en partituren.

'Ik dacht al, die heeft zich overslapen,' zei de meester.

'Ik heb iemand meegebracht. Roland, mijn neef.'

'Roland... Roland.' De meester fronste de wenkbrauwen. 'Dan zijt gij de kleine van Roger.'

Roland knikte.

'Als ge zo goed kunt zingen als uw pa indertijd, dan zijt ge zeker welgekomen.' De meester duwde hem een missaal in handen.

Ik wurmde me tussen de stoelen en banken door naar de achterste rij tegen de torenmuur, waar Roswita zat, in een grasgroen bloesje dat grote moeite had om haar boezem te omhullen.

Ze zat licht voorover gebogen, haar ellebogen leunden op haar knieën, misschien om haar ontluikende welvingen, waarop een fijn zilveren kettinkje deinde, wat aan het oog te onttrekken.

In haar oren droeg ze kleine bellen, onooglijke knopjes turkoois, die even heel fel oplichtten wanneer ze met alle onverschilligheid die ze maar kon veinzen haar hals rekte en haar manen schudde, zodat iedereen haar sieraden kon bewonderen.

Ik wist hoezeer ik haar in verwarring bracht door er geen acht op te slaan, ook al maakte ze me steeds onrustig, op het angstige af, met haar gezucht en gesteun, het schikken van haar lokken, haar riempjes, de vouwen in haar plooi-rok, haar kraag, het kettinkje of de marineblauwe kousen in haar sandalen, waarin steevast steentjes gevangen raakten die de hele tijd op haar zenuwen werkten en soms, met een ijl maar onder de bogen tienvoudig versterkt getik, uit haar zolen over de planken hagelden.

'Schuif wat op,' zei ik. 'We zijn met twee vanaf nu.'

Ze wierp me een vragende blik toe, verhief even haar kont van het hout en schoof opzij.

'Mijn neef Roland. Hij komt een tijd bij ons.'

In haar waterachtige ogen verscheen de twinkeling die ik had voorzien. Een korte opstoot van de koortsen die ergens diep in haar binnenste woekerden en in de lichte begroeiing op haar bovenlip zweet als dauwdruppels lieten neerslaan.

'Van waar is hij?' vroeg ze.

'Vraag het hem zelf,' zei ik jennend. 'Hij kan het zelf wel zeggen.'

'Van waar zijt gij?'

'Van Ruizele,' antwoordde Roland, zonder haar aan te kijken.

'Toch een redelijk eind van hier.'

Roland trok zijn schouders op. 'Een klein halfuurtje met de auto.' Hij trok het liedboek open en liet de vellen onder zijn duimen ritselen.

Roswita's blik gleed langs me heen en ik verkneukelde me.

'Ge zoudt hem eens met de vélo moeten zien rijden,' antwoordde ik, om er een schep bovenop te doen. 'Hij staat bijna even rap bij ons als zijn vader met zijn Ford Granada.'

'Mijn broer koerst ook,' zei Roswita, geheel naar waarheid. Op kermiskoersen verhief hij vlak voor de eindstreep zijn kont uit het zadel, kuste op podia blonde meisjes en zwaaide met kunstboeketten.

Roswita wachtte tot Roland zou antwoorden, maar hij keek neer in het missaal en leek verdiept in een psalm, zonder te beseffen dat de blos op zijn wangen een rilling van triomf over haar rug deed kruipen. Iets van die rilling sloeg over op mij.

Onder ons kriepte de portaaldeur open en klapte weer dicht, de kerk liep vol. De misdienaars staken de wierook aan. Ergens achter mijn rug ruiste lucht door de windlade, het orgel zoog de balgen vol.

Belgerinkel.

Meester Snellaert rechtte de rug, trok de registers open.

Diep in de orgelkast weerklonk gekletter. Kleppen werden weggetrokken, monden geopend.

Het kerkvolk veerde op.

Meester Snellaert knikte, zette zijn voeten op het pedaal. Bastonen deden mijn buikvlies kriebelen. Ik duizelde en sloot de ogen.

'Nu!' riep meester Snellaert.

Toonladders klapten als waaiers open. Langs wenteltrappen van tremolo's en breeknoten leek ik nog hoger op te stijgen dan waar ik al zat, en uit mijn middenrif gutsten de woorden op: 'Ruk open Heer, de hemelpoort. Daal tot ons af, Gij Levend Woord.'

Diep onder mij hoorde ik Roland amechtig piepen. Ik liet hem ver achter me. Mijn stem stond bol als een zeil en kon alles aan vandaag, zonder zich onverwacht los te rukken en miserabel in mijn keelholte te flapperen. Ik voer op vleugelslagen Gods glorie tegemoet, maar toen de laatste tonen in de gewelven verpieterden en ik verzaligd mijn ogen opende, zag ik alleen de barse kop van meester Snellaert.

'Callewijn alstublieft,' siste hij. 'We zitten hier niet in de opera.'

Ik werd vuurrood en zeeg neer op de bank.

Roland gniffelde.

Roswita beet grinnikend op haar duim.

Toen de mis was afgelopen zat ze in het café tegenover me aan een van de tafels en rommelde, terwijl ze geregeld Roland gadesloeg, net als ik futloos met een pak kaarten.

Mijn neef was niet bij ons komen zitten maar stond in de buurt van mijn vader aan de toog, hield zijn glaasje prik vast alsof het een pilsje was, en deinde mee op de maat waarmee de mannen het glas hieven op de gezondheid van Roswita's vader, die fruitboer was en het graag breed liet hangen.

'Blijft hij lang bij jullie?' vroeg Roswita.

''k Weet niet. 't Gaat niet te goed met zijn moeder. Ze heeft last van haar zenuwen.'

Roswita zweeg en sloeg een lok over haar schouders. Rond de toog liep intussen het gesprek hoog op. Rood aangelopen en met de wijsvinger in de lucht trok Roswita's vader de aandacht naar zich toe en plaatste een opmerking, waarop, na een seconde stilte, de mannen losbarstten in gebulder. Roland lachte onwennig met ze mee en nipte aan zijn glas.

'Hij kan misschien bij ons komen voetballen,' zei Roswita, met een trilling van moederlijk medeleven in haar stem. Haar vader was voorzitter van de club.

'Misschien wel. Hij heeft vroeger nog gespeeld, geloof ik.' Onverschillig keerde ik de kaarten om, verdeelde ze in pakjes, schudde ze en legde ze weer open, in een zelf uitgevonden spel zonder uitkomst, om me zoveel mogelijk aan haar gevis te onttrekken.

In haar ogen was ik niet meer dan een uit de hand gelopen dreumes, een niet al te bruikbaar proefkonijn waarop ze zich in lonken verfijnde. Op woensdagmiddag zat ze op de bank op het stationsplein, onder het lommer van platanen, omringd door hofdames die jaloersig opkeken naar haar vroegrijpe rondingen. Rondom haar schopten jongens op ballen, dribbelden, gaven voorzetten en kopten. Ze had iets waar ik haar om benijdde, terwijl ik tegelijk uit haar buurt wilde blijven. Het vermogen iedereen met onzichtbare tentakels af te tasten of tegen het licht te houden. Het maakte ook andere jongens onrustig en beving haar vriendinnen, die anders gewoon meisjes waren, van een giftig soort bewondering, waardoor ze nukkig werden en bits van zich af gingen bijten.

Het deed me deugd te zien hoe Roland nu langs ons heen naar buiten liep om te plassen, zonder haar echt op te merken.

'Vanaf morgen mag ik met hem mee naar school,' zei ik. 'Ik heb speciaal een nieuwe fiets gekregen.'

Ze reageerde niet. Roland was weer binnengekomen. Onder het mom dat ze iets aan haar vader moest vragen, stond ze op en liep naar de mannen rond de toog. Hij boog gewillig naar haar over toen ze aan zijn jasje trok. Ze fluisterde iets in zijn oor.

'Is 't waar?' hoorde ik haar vader vragen, met een knik naar Roland. 'In een club of voor uw plezier?'

Ik kon niet horen wat Roland antwoordde en of het over fietsen ging dan wel over voetbal, maar ik zag hoe hij bloosde en dat mijn vader hem gemoedelijk op de schouder klopte.

'Daar klinken we op!' riep Roswita's vader boven de anderen uit.

De glazen werden nog eens volgegoten. Roswita stond nu met Roland te praten. Knikte. Lachte. Beproefde alle trucs uit haar doos met foefjes.

'Proost!' riep iemand.

De glazen gingen nogmaals de hoogte in.

Ik klemde de kaarten in mijn beide handen tot de stapel bol stond en keek naar het uurwerk boven de tapkast. Ten laatste halfeen, had mijn moeder gezegd. Het was al kwart over. Het zou weer uitgebakken biefstuk worden, onder een saus van verwijten.

Beklonken was het, bedronken en bezegeld. Roland zou voetbal spelen. Training op woensdag en op vrijdagavond. Op zaterdag om de paar weken een match.

'En donderdags zangles. Dan zit uw week schoon vol,' zei mijn vader tevreden, terwijl in de keuken mijn moeder verbolgen de vaat liet rammelen.

'Ge zoudt beter ook wat aan sport doen,' riep ze naar mij, uit balorigheid omdat de bloemkool weer eens tot moes was gekookt en de aardappelen ei zo na aan de bodem van de pan hadden gehangen.

Ze zette de vaat ondersteboven in het druiprek, wreef haar handen in met uierzalf en knoopte haar schort los. Het teken dat de zondagmiddag ons met zijn verveling kon omwikkelen.

Op mijn kamer, terwijl Roland op zijn bed in een boek lag te bladeren, trok ik mijn nieuwe boekentas open, een donkerbruin model voorzien van lange riemen waarmee ik ze over mijn schouders kon hangen. Ik beproefde het nog stugge leder, ritste de zakken open, keek of mijn etui er wel in paste, waar ik de potloodslijper zou stoppen, de liniaal, het vlakgum, de vellen vloeipapier en vond, na alles te hebben opgeborgen, dat ze nog veel te licht aanvoelde voor de nieuwe gewichtigheid waarmee ik 's anderendaags de wereld tegemoet zou treden. Maar toen ik er twee extra boekdelen van mijn vaders encyclopedie ingestopt had, en de gespjes van de sluiting had aangetrokken, kreeg ik het ding met geen mogelijkheid van de grond.

'God, jongen,' bromde Roland. 'Zit toch stil. Ge werkt op mijn systeem met uw gepruts.'

Het waren de eerste woorden die hij tot me richtte. Ook al lieten ze me even van schaamte krimpen, ik zoog ze als honing op.

'Ik heb er te veel ingestoken,' zei ik.

'Waarin?'

'Mijn boekentas.'

Hij klapte zijn boek dicht. 'Ge moet niets speciaals meenemen morgen. Juist een stylo en een potlood. Al de rest krijgt ge ginder. Ze laten zelfs hun eigen schriften maken, met de naam van de school erop.'

Zo geruisloos mogelijk trok ik de tas weer open en haalde er voorzichtig een van de boekdelen uit, maar vlak voor ik het op tafel kon leggen, gleed het uit mijn vingers en viel met een luide bonk open op de vloer.

Ik hoorde Roland opstaan en kwaad de deur achter zich dichtslaan.

Het leek me niet aangewezen om hem achterna te gaan, hoezeer ik me ook afvroeg waarmee hij zich zoal onledig hield.

Op zijn nachtkastje, naast de imposante wekker, lag een boek waarin stond dat alle gezag uit God komt, hem geschonken door een tante Vera aan moederszijde. Ik kon me moeilijk voorstellen dat hij er ooit in las. Het lag daar, boven op een ander boek over de zalmvangst in Schotland, met mooie foto's, iets meer doorbladerd, zo leek het, dan het andere.

In de lade eronder schuilden nergens restanten van een kinderlijke chaos. Geen wieltjes van kapotte wagentjes, schietgeweertjes of plastic ganzen uit een allang vernielde kinderboerderij, zoals in de la van mijn eigen nachttafel. Ik klemde ze als amuletten in mijn vuisten wanneer het onweerde en ik mezelf te oud vond om nog bang te zijn.

Bij Roland waren slechts zakdoeken te vinden. Op die ene na, weggedrukt in een hoekje, lagen ze keurig in vier groepjes opgetast. In het kastje zelf viel er, behalve een oud polshorloge, waarschijnlijk van zijn vader, en een foto van hemzelf, in een erg net pak op de dag van zijn communie, niets te bespeuren waaraan ik enigszins kon proeven hoe het was om Roland te zijn.

Ik sloop naar mijn kamer terug met een leeg gevoel, maar niettemin opgelucht toen hij nog geen minuut later weer naar boven kwam, de deur opende en zei dat er koffie was.

's Avonds zat hij naast mijn vader voor de buis en keek naar de sportuitslagen. Ze sloegen allebei met de vlakke hand op hun knieën wanneer een van hun favorieten rakelings naast de doelpaal schoot, en bespraken ernstig de kansen van een ploeg die het moeilijk had.

Ik zat aan tafel en maakte mijn vaders kruiswoordraadsel vol.

'Doe morgen dat blauwe hemd maar aan,' zei mijn moeder. 'Dan loopt ge er proper bij voor uw eerste dag.'

Ze had me even voordien ook mijn nieuwe brooddoos getoond, waar je de lucht kon uitduwen zodat alles langer vers bleef. Ik had bewonderend geknikt.

Na het voetbal was er een wielerwedstrijd. Roland bleef er even geboeid naar kijken.

Mijn vader stond op. 'Ook een pintje, Roland?'

Hij aarzelde eerst, zei toen: 'Och ja. Waarom niet?'

Mijn moeder rolde met haar ogen.

'Ma, alstublieft,' suste mijn vader. 'Hij is groot genoeg. En daarbij, drinken moet ge leren.'

'Geef mij er dan ook maar eentje,' probeerde ik.

Hij gaf geen antwoord, maar lachte schamper.

Toen hij met maar twee flesjes uit de kelder terugkeerde, vouwde ik ostentatief de krant dicht, gaf mijn moeder een zoen en ging naar boven.

Ik wilde inpakken, mijn ongeduld met rituelen verzachten, maar alles zat al in mijn boekentas. Ik trok mijn kleren uit en ging op bed liggen.

Het gezoem van het televisietoestel drong vaag tot mijn kamer door. Ik draaide me op mijn zij en keek toe hoe de dag verdween.

De toenemende koelte deed de planken weer krimpen. Het leek even alsof alle kamers weer betrokken werden. Michel die in het dressoir naar jenever zocht. Flora, op krukken van de zetel naar het bed laverend.

'Ze zijn nu allemaal in de hemel,' had mijn vader vaak gezegd.

Maar wat was de hemel? Misschien een wereld die boven of onder de onze lag, transparant als destijds de vellen kalkpapier in het fotoalbum van tante Odette.

'In de hemel zijn er geen horloges,' had meester Snellaert ons wijsgemaakt toen hij ons voorbereidde op het Vormsel. 'Alleen de gong van het Laatste Oordeel.'

Misschien liepen ze nog altijd door de kamers, blind voor het nieuwe behang, doof voor onze gesprekken. Misschien kwamen ze nog altijd samen rond de tafel beneden, diep in de nacht of midden in wat voor ons de dag was, en legden puzzels, speelden kaart of verstelden sokken. Af en toe, stelde ik me voor, stond Flora op en sleepte zich kermend naar haar bed om een kind te baren of nog eens te sterven, en dan weer op te staan en verder te gaan, volgens een logica die door andere klokken werd beheerst.

De nacht was even donker geworden als hun rokken, die mijn moeder allang had weggedaan of tot stoflappen versneden. Ik moet ingedommeld zijn en weet niet hoeveel later ik weer wakker werd, van de kou misschien, of door iets anders. Een intrigerende ritmiek, daar hoorde ik het weer; het kraken van veren dat uit Rolands kamer opsteeg en meteen stokte toen ik even kuchte.

Ik stond op, trok mijn nachtkleed aan. Voor mijn raam, vaalblauw van de duisternis, hing de volle maan. Haar licht scheen zilverwit op mijn tafel, op de kap van de lamp en het handvat van mijn nieuwe boekentas.

'Roland?' vroeg ik. 'Zijt gij ook wakker?'

Ik hoorde een diepe zucht.

Het klonk veel te bedacht voor iemand die sliep.

4

Ik had een droom waarin ik een donker pak droeg, een jas en een lange broek, een hemd met das, om een lichaam, onmiskenbaar het mijne, maar dat aanvoelde alsof het achttien was en zinderde van kracht. Ik liep met anderen in een lange rij door een zuilengang of een kloostertuin. Iemand in een bruine pij liep me voorbij, en ergens in de hitte van een junidag moesten we tussen twee in kegels gesnoeide coniferen op een bakstenen trap gaan staan, als op de foto beneden in mijn vaders kamer, voor de ruggen van zijn encyclopedie.

Hij houdt er de schoolvlag hoog boven een piramide van kortgeknipte koppen. Onder zijn arm steekt een perkamenten banderol, samengebonden met een vuurrood lintje. Zijn zwarte dos is in een middenstreep gekamd. Twee krullen vallen net niet over zijn ogen, die ernstig kijken, op het zorgelijke af, alsof hij toen al wist dat voor hem het studeren voorbij was.

Er danste een tomeloze vreugde in mijn borst, alsof iets groots te gebeuren stond, en we wachtten in het helle licht, misschien tot een fotograaf de lens zou laten klikken.

Er viel een stilte waarin mussen sjilpten. Verwachting. Toen sprong naast me iemand opzij, en iemand anders hield met een gil zijn handen voor zijn hoofd. Achter mijn rug viel glas aan scherven. Ik hoorde stenen over dakpannen omlaag denderen Voor mij zeeg iemand als door kogels getroffen op de grond. Nog meer gebroken glas viel neer. Ergens begon een sirene te loeien. Iemand riep: 'Pas op!' Instinctief dook ik weg, maar iets trof me hard boven mijn rechteroog.

Het duurde een tijd voor ik doorhad dat ik naar de barsten in de zoldering van mijn kamer lag te kijken, waarschijnlijk gewekt door het gerommel waarmee Roland nog half slapend de wekker had stilgelegd.

Ik stapte uit bed, nam een handdoek met me mee en ging voor de wastafel staan.

Roland had verveeld een oog geopend. Even leek hij te blijven liggen, zich nog een keer te zullen omdraaien, maar hij schopte tenslotte de dekens weg en sprong op.

'Schuif op,' zei hij bars. Zijn haren stonden verward, alsof hij door zeeën van lakens had gezwommen, zich door tunnels van linnen had gewurmd en pas bij het rinkelen van de wekker weer aan de oppervlakte was gekomen.

We pletsten elk om beurten water in ons gezicht, bogen als vogels die zich laven, kromden onze hals en kwamen weer overeind.

Iedere keer keek ik neer in zijn nek. Er stonden kleine moedervlekken in, waaruit hier en daar een haar opkwam, dat zich niet als de andere dicht tegen de helling van zijn rug legde, maar weerbarstig krulde. Wanneer hij zijn handen op zijn aangezicht legde en vergenoegd door zijn neusgaten snoof, bolden zijn schouderbladen op, hard en hoekig, als nog onvolgroeide vleugels, en wierpen een schaduw over de archipel van zijn ruggengraat.

'Haast u maar,' bromde hij. 'Het is al kwart over zeven,' maar het was vroeger dan ooit. Zo vroeg had ik nog nooit op gemoeten.

De slaap hing nog in mijn ogen toen we naar beneden liepen, waar mijn moeder twee vacuüm getrokken boterhamdozen naast elkaar op de tafel had klaargelegd.

'Roerei met spek,' riep ze toen ze wonderlijk opgewekt met de koffiepot uit de keuken kwam en de koppen volschonk. Ze liep zowaar te neuriën, ging met een hand door mijn krullen en boog naar Roland over om hem een zoen te geven, wat hij na een korte aarzeling toestond.

Rozig en wollig in haar nachtpon, haar ochtendjas en haar gevoerde muiltjes, zat ze me terwijl ze haar koffie dronk, aan te kijken met een blik vol vertedering die me argwanend trager deed kauwen. Ze moest niet denken dat ik zou gaan snotteren als we straks de deur uit moesten.

Roland werkte intussen verbazend efficiënt zes sneden brood naar binnen, zoop zijn kop leeg, nam nog een slok melk toe, stond op, liet een boer en zei plechtig: 'Pardon…'

'Heeft het gesmaakt?' lachte mijn moeder.

Hij droeg zijn bord naar de keuken, ook al zei ze: 'Laat maar staan, Roland. Dat is werk voor een moeder.'

Ze neeg naar mij toe, legde haar hand op mijn wang. 'Dat ik u ook al moeten laten gaan…'

Ik trok me weg. 'Mijn schoenen,' zei ik.

Ik had mijn bottines aangetrokken, bijna even zwaar als de zwartlederen klompen die Roland droeg. Schoenen met dikke zolen, waardoor ik er zeker twee centimeter groter uitzag. Maar ze hadden ook ingewikkeld lange veters. Ze strekten zich uit in meanderende labyrinten en legden zichzelf in vervelende knopen als ik ze eigenhandig poogde te strikken.

'Dat moet ge nu toch zelf beginnen kunnen,' zei mijn

moeder, met een zucht waarin weemoed kabbelde. Ze knielde bij me neer.

'Ge zult toch voorzichtig zijn?' vroeg ze met een krop in de keel. 'Zorg dat ge altijd bij Roland blijft.'

Ik was blij dat ik niet kon zien hoe ze haar tranen verbeet.

We reden over de dijk, Roland voorop, allebei met onze boekentas op de rug. Het was een kleurloze ochtend, zonnig noch bewolkt. Mist dreef in slierten boven het kanaal, en verderop, waar het water een bocht maakte en breder werd, gingen bomen en huizen schuil onder grijze vitrages. We passeerden de magazijnen, waar heftrucks in en uit reden, voorbij de meelfabriek met de kranen waaruit rare slurven tevoorschijn kwamen, die in een wolk van fijn geel stof de buik van aangemeerde schepen leegzogen. Soms kon ik mijn vader daar aan het werk zien. Dan keek hij even op als ik de fietsbel liet rinkelen, maar nu was hij er niet.

Tot aan de spoorwegbrug was de wereld me vertrouwd. Ik had er alle zandwegels verkend, wist waar iedereen woonde, op welk erf de hond niet te vertrouwen was, waar de bomkraters van vroeger in ronde poelen waren veranderd, gonzend van libellenvleugels die het licht in regenbogen ontleedden. Aan de overkant ging al die openheid over in het dichte kroondak van het bos.

Het rook er naar vochtige aarde, gisting en schimmel. In de wegberm schoten de eerste paddestoelen op. Door de gaten in de rododendrons onder de stammen ving ik een glimp op van het kasteel, aan het eind van de dreef, de enige plek die ik zelf nog tijdens fietstochten had verkend, voor ik bang om te verdwalen in de doolhof van dreven was teruggekeerd.

Het park lag er verlaten bij. Op het gazon sleepten pauwen hun staart achter zich aan. In de diepte van het bos kraaiden eksters. Duiven zeilden rond de daken van de omliggende hoeves.

'Kunt ge nog mee?' hijgde Roland.

'Geen probleem!' riep ik terug, ook al deden mijn kuiten pijn en knelde het zadel mijn liezen.

Het bos werd weer dunner. Door het onderhout heen schitterde een uitgestrekt water. Kleine eilanden torenden als burchtruïnes boven mist en rietkragen uit. We kwamen op een open plek. Weilanden omringden ons, sommige verdeeld in percelen, met villa's in aanbouw. Wat later nam de weg een scherpe bocht en verdwenen we weer onder de kruinen, het ging nu flink bergop. Roland ging op de trappers staan. Het zweet brak me uit.

Boven maakte het bos onverwacht plaats voor een drukke woonwijk. Uit alle hoeken en gaten stoven fietsen van oprijlanen.

'Hei, Roland, woont gij nu elders misschien?' riep iemand in het voorbijrijden.

'Hei,' riep Roland terug, zonder echt na te gaan wie hem had aangesproken.

Ik keek strak voor mij uit, bang om in andermans wielen te rijden. Toen we de hoofdstraat bereikten was de stroom fietsen aangegroeid tot een zwerm die als een sprinkhanenplaag voorbij de gevels schoof, de markt overstak en langs een kiosk een smalle zijstraat inschoot.

Een paar honderd meter verder, omgeven door velden

waar pas aangelegde wegen doodliepen alsof de huizen waarheen ze leidden nog uit de aarde moesten oprijzen, lag onze school.

Ik had me kantelen voorgesteld, omwallingen en vestingmuren begroeid met wingerd of klimop. Een deftige van kennis en rust doortrokken wereld van schaduwrijke gaanderijen en minaretachtige torentjes die je over een ophaalbrug betrad, maar wat ik zag leek meer op een nonchalante opeenstapeling van grote schoenendozen, ascetisch witgeverfd, met kille stalen raamkozijnen. In een van de dozen zat een lage poort. De horde fietsen vloog erdoor naar binnen.

Ik had het moeilijk om Roland bij te benen. Ik verloor hem uit het oog en liet me meedrijven met de stroom, een donkere galerij in, met betonnen pijlers waartussen fietsenrekken stonden.

Jongens stegen uit het zadel en begroetten elkaar luidruchtig. Ik laveerde voorzichtig tussen ze door, tot iemand hard aan mijn oor trok. Een vent met een gezicht van losjes gemodelleerde modder blafte me toe dat er aan de poort werd afgestapt, 'verstaan?'

Ik stalde mijn fiets met trillende knieën in een van de rekken. In de wemeling die zich vanuit de galerij verspreidde over de speelplaats, een desolate vlakte van plaveien, meende ik Roland te zien. Ik liep naar hem toe, maar hij scheen te doen alsof ik er niet was.

'Ge moet aan die kant hier blijven,' zei hij verveeld, en wees naar een witte streep die dwars over de speelplaats liep en deze in precies twee helften verdeelde.

Aan de overkant lieten lange slungels basketballen over

de stenen stuiteren. Aan deze kant, de mijne, die van de lagere klassen, sleurden ventjes met veel te grote boekentassen, troepten onwillig samen, verspreidden zich weer en pulkten aan hun puisten.

Ik zag Roland op een groepje kerels toestappen, dat hem uitbundig begroette. Er werden stoten uitgedeeld, speels klappen afgeweerd. Iemand nam hem in een houdgreep, dwong hem voorover te buigen en trok zijn pet af.

Ik keerde op mijn schreden terug. De vent met het moddergezicht liep als een grenswachter heen en weer over de witte streep en hield me geniepig in het oog.

Van alles wat ik op de foto's van mijn vader had gezien, stond enkel het klooster nog overeind. Het lag met zijn frêle dakkapellen en ragfijne erkerramen tussen twee van de schoenendozen ingeprangd, en leek te trillen alsof het er langzaam door verpletterd werd.

In de voegen van de bakstenen treden, waar mijn vader ooit de vlag had opgehouden, schoot gras op en de coniferen moesten lang geleden al omgehakt zijn. In een tuttig bloemenperkje spreidde een verweerde Christus zijn beide armen, waarvan er een door sleet of baldadigheden ter hoogte van de elleboog was geamputeerd.

Nergens viel een horizon te bekennen. Nergens een uitweg. Ook niet als ik naar boven keek. De hemel was vierkant, er lag een deksel van wolken op.

Dit was het Sint Jozef-instituut voor Hopeloos Onderwijs, waar het dag in dag uit krijtstof sneeuwde, het steriele stuifmeel der wijsheid. Waar in alle lokalen een centraal bestuurde klok de minuten als lastige vliegen doodsloeg. Waar de clivia's op de vensterbanken met verveling werden bewaterd en uit pure wanhoop toch maar bloeiden, misschien voor de laatste keer.

Ik liep doelloos van de ene kant van de speelplaats naar de andere, ontweek groepjes bakkeleiende jongens en ging ergens tegen een gevel staan. Uit het trappenhuis naar de klassen woei een weeë, zuurzoete geur over de speelplaats, alsof alles er met een geheime substantie werd bewerkt, niet bedoeld om stofpluisjes uit honderden truitjes, de stank van winden, zure oprispingen, slecht gepoetste tanden, of de ranzige lucht van ontelbare oksels weg te spoelen, maar juist te vermengen en te versterken, tot ons een aparte dampkring omhulde: die van de school. Geen tuchtregel kon dat aroma overtreffen om me in te prenten dat ik vanaf nu een kuddedier was. Een wezen half slachtlam, half insect, met spichtige onvolgroeide botten, kolkende sappen en een zenuwstelsel dat in al zijn vertakkingen op een verwaarloosde fruitboom leek die dringend, zeer dringend, moest worden gesnoeid.

Er klonk een keiharde beltoon. De hogerejaars drumden in slordige rijen naar binnen. De vent met het moddergezicht riep: 'Eerstejaars verzamelen voor het klooster.'

Iemand had op het bordes een microfoon klaargezet. Twee van de erkerramen waren opengeschoven, op de vensterbank stond een geluidsbox.

Ik hield me op achter in de groep. Een jongen met lange blonde haren zei: 'Hallo. Ik ben Willem.' Hij stak zijn hand naar me uit.

'Anton,' zei ik, ietwat verbouwereerd door zijn beleefdheid.

'Kom je uit Ruizele zelf?'

Ik schudde het hoofd. 'Uit Stuyvenberghe. Niet zo ver van hier.'

'Ik woon hier in de bossen,' zei hij. 'Mijn vader is architect,' alsof het ene iets met het andere te maken had.

Hij sprak zacht beschaafd, bijna even gracieus als zijn lokken, wat spontaan de lachlust van de jongens rondom hem opwekte. Ze draaiden zich even om en keken hem gniffelend aan.

Hij was niet van bij ons. Er lag een ander dialect op de bodem van zijn taal. Niet de zompige kelderklanken van het onze, donker en bemost, maar een lijzig, bijna wulps gezang.

'En wat doet jouw pa?' vroeg hij.

'Vroeger waren we boeren bij ons thuis,' zei ik.

Hij vroeg niet verder.

De deur van het klooster ging open en er kwam een mannetje naar buiten dat helemaal op maat gesneden leek. Het huppelde precieus naar de microfoon, schoof zijn vaalbruine deukhoedje wat achterover, dook met een sierlijk gebaar in de zakken van zijn zwiepende nylon regenjas en zette in een vloeiende beweging een bril met gulden montuur op zijn neus.

'Pater Deceuster,' zei Willem. 'Onze directeur. De goedheid zelve.'

De pater vouwde delicaat een papiertje open, laste een korte pauze in, waarbij hij ons monsterend aankeek, en riep toen met een volume dat ons even deed opveren: 'Dag Mannen!'

Zijn geestdrift werd onmiddellijk beantwoord met een

hoog, snijdend geluid dat uit de geluidsboxen over de pla-veien schetterde.

De pater nam zijn bril van zijn neus en siste: 'François! François!'

De vent met het moddergezicht kwam op zijn tenen naar voren, maakte een sussend gebaar en verdween in het klooster. Het piepen verstomde.

De bril ging weer op de neus, de pater hervond zijn kalmte en zei: 'Zo hebben jullie meteen al kennisgemaakt met meneer Bouillie. Toegewijde studiemeester en steun-pilaar van deze school. Een applausje voor meneer Bouil-lie!'

Een paar jochies begonnen ongeïnspireerd in hun han-den te klappen. Willem hield de zijne in zijn zakken.

De pater vond het een prachtige dag, de eerste van een nieuw schooljaar en tegelijk het begin van een groot avon-tuur.

'Hij vertelt ieder jaar hetzelfde,' zei Willem. 'Straks be-gint hij over de nieuwe gymzaal.'

'Deze school staat klaar voor u,' glom de pater. 'Met alle moderne faciliteiten, en het is toch met de nodig trots, niet-waar meneer Bouillie, dat we kunnen zeggen dat ons eigen sportcomplex eindelijk, ja eindelijk klaar is. Van nu af aan basketten we op het droge en zwemmen in eigen water!'

'Het heeft hem wel vijftig mosselbanketten gekost,' zei Willem. 'Mijn vader is er ziek van geworden. De derde keer heeft hij een cheque uitgeschreven. Dan was hij er vanaf.'

'… tevens onze totaal vernieuwde dactyloklas,' galmde de pater verder, 'waar meneer Villeyn terecht al jaren om vroeg.'

'Villeyn, venijn,' gromde Willem.

Ik vroeg me af hoe hij alles al wist. 'Hebt ge hier een oudere broer misschien?'

Hij ontweek mijn blik. 'Ik moet mijn jaar overdoen. Te veel mijn best gedaan.'

Pater Deceuster begon intussen net niet te leviteren. Hij hield een extatisch vertoog over de deugden van de christelijke leerling, begaf zich in een nogal wazige uitweiding over het geluk, dat volgens hem in het kleine school, en wenste ons onder het dichtritselen van zijn papiertje een boeiende schooltijd en een harmonische groei naar het jongvolwassen kerelschap toe.

Er volgde een flauw applausje.

Meneer Bouillie maakte er zich met minder plichtplegingen van af. Hij nam de microfoon van de pater over en blafte: 'Ge zult straks uw naam horen afroepen, gevolgd door een A, een B of een C. Als alle namen afgeroepen zijn, geef ik een teken en ge loopt naar een van de titularissen daar.'

Hij wees naar de overkant van de speelplaats, waar drie leraren op de stoep voor een houten poort elk een bord ophielden.

Ik kreeg een B.

Willem ook.

'We zitten samen, geloof ik,' zei hij.

We liepen over de speelplaats naar de leraar.

'Vaneenooghe,' zei Willem. 'Het valt nog mee. Hij geeft godsdienst.'

'Ik wil een mooie rij zien en ik mag geen woord meer horen,' zei meneer Vaneenooghe.

Hij wachtte. 'Geen woord,' herhaalde hij.

Toen de stilte hem diep genoeg klonk, knipte hij met de vingers.

De rij zette zich in beweging.

Willem gaf me een por.

Meneer Vaneenooghe duwde tegen de poort, die als de mond van de hel voor ons openging.

5

En arduinen trap voerde ons naar boven, neonlampen floepten aan. We kwamen in een smalle gang, aan de ene kant begrensd door muren beslagen met houten panelen. Aan de andere kant, veel te hoog om erdoor naar buiten te kunnen kijken, lieten ramen de grijze hemel zien, lantaarnpalen en een kabel die heen en weer wiegde in de wind.

Meneer Vaneenooghe had de deur van onze kooi voor ons opengetrokken en onder een galante buiging 'Treedt binnen, heren' gezegd.

Kale groene muren wachtten ons op. Een kruisbeeld dat scheef boven het bord hing. Tegen een van de muren een verschoten poster waarop een jongeling op een strohalm beet, met daaronder de spreuk *Als de jeugd de hoop verliest, klappertandt de wereld.*

De banken waren veel te hard om er je naam in te kerven, het glanzende vernis liet zich niet openpulken. Ik koos er een in het midden, iets dichter bij de deur dan bij het bord.

'Geeft het niet als ik naast je kom zitten?' vroeg Willem.

Ik vond het niet erg.

We keken allebei ietwat perplex toe hoe in de bank voor de onze een kereltje met aandoenlijke ijver zijn boekentas open ritste, een geruit etui tevoorschijn haalde, een potloodslijper in de vorm van een koe, een houten meetlat, een passer, een gradenboog, een tweekleurig vlakgum, een fluostift en twee tubes lijm. Het joch kruiste popelend de armen en keek lichtelijk verbijsterd op toen meneer Vaneenooghe vroeg of we zo goed wilden zijn onze bank open te klappen.

'Alle schriften die je dit jaar nodig hebt liggen al klaar,' zei hij.

Op elke kaft stond een foto van weer een andere school waar de paters de scepter zwaaiden. Overal dezelfde schoenendozen, dezelfde plaveien. Ongetwijfeld dwaalde ook overal een meneer Bouillie langs de grenslijn.

Ik liet moedeloos het deksel van mijn bank tegen mijn voorhoofd rusten.

'Scheelt er iets?' vroeg Willem.

Ik schudde het hoofd.

'Neem ze mee naar huis,' vervolgde meneer Vaneenooghe, 'en zet er vanavond uw naam en uw nummer op.' Er stonden voorgedrukte stippellijntjes op de kaften. Alles was al voorzien en bemeten.

Thuis moest meester Snellaert nu een nieuwe kudde binnenleiden in zijn klas, waar geen vierkante centimeter door foto's of prentkaarten onbedekt bleef. Rekensommen zouden er als door een toverspreuk tastbaar worden, glad als parels tikkend op de ouderwetse telramen die hij nog altijd gebruikte. Tegen de wanden zou hij landkaarten zo groot als gobelins ontrollen, zijn pupillen ridderzalen binnenleiden en België openvouwen als een imaginair koninkrijk, met landstreken als Lotharingen, waarin de somberheid van Teutoonse ruïnes doorklonk. Elk moment van de dag lag hij, zijn grijze kiel als een harnas om zijn buik, op de loer om bij de minste glimp van een geschubde poot, een gevorkte tong, op te staan en ons uit de klauwen der verveling te redden.

Meneer Vaneenooghe daarentegen leek met pak en al uit een magazijn te komen waar alles chronisch in de uitverkoop was. Hij bewoog zich door de klas alsof hij aan een knaapje hing, met een geestdrift waar zwaar de mot in zat.

In een poging om een gemoedelijke indruk te wekken ging hij op de hoek van zijn bureau zitten en bleef geduldig wachten tot we alle schriften hadden weggeborgen. Toen stond hij op, liep naar het bord, nam met een zucht alsof het een ton woog een krijtje uit de richel en schreef in grote letters 'God, onze grote vriend'. Hij draaide zich om, wreef in zijn handen en zond ons een lachje dat als stucwerk van zijn lippen viel.

In de middagpauze zag ik Roland terug, al zat hij met vijf van zijn kornuiten helemaal aan het andere eind van de refter, dicht tegen het podium. Daar was pater Deceuster nog even verschenen om het kruisteken te maken en ons 'een aangenaam maal' te wensen, waarna pollepels in soepkommen hadden gekletterd en ik mijn doos met boterhammen had opengetrokken.

Willem was naar huis. Om me heen kwetterden jongetjes met wie ik zo min mogelijk te maken wilde hebben, niet geïmponeerd door meneer Bouillie, die zachtjes tussen de tafels door schoof en naar onregelmatigheden speurde.

Ook hier werden de hogere van de lagere klassen gescheiden. Over de breedte van de zaal liep een drempel. De zware stemmen van de grote jongens rolden uit het lager gelegen gedeelte over me heen, en ik vroeg me af of ik op een dag even luidruchtig in deze omgeving zou gedijen als zij, zonder het gevoel te hebben dat alles hier een farce was.

Om halfeen werden we gelucht. Basketballen stuiterden uit het berghok over de speelplaats. Een jongen vroeg of ik zin had om mee te doen, ik sloeg het aanbod af. Ik wilde onzichtbaar worden, als een kameleon opgaan in de achtergrond van baksteen en beton, en 's avonds, wanneer de schoolbel verlossing rinkelde, weer de kleur aannemen van gras en bomen. Maar het was onmogelijk om te verdwijnen; hoe hard ik ook mijn best deed om niet te lang op dezelfde plaats te dralen, overal priemde de blik van meneer Bouillie nadrukkelijk in mijn schouders.

Toch waren er plekken die zich aan zijn alomtegenwoordigheid leken te onttrekken. Blinde hoeken achter de fietsenstalling tegen de muur van de sportzaal, waar haastig ingetrapte peuken, snoeppapiertjes en andere rommel een clandestien plezier lieten vermoeden, kortstondig, heftig en zoet.

Aan de andere kant van de koer, naast de gevel van het klooster, troepten Roland en zijn maten samen rond een opgeschoten laurierkers. Meneer Bouillie hield zich op aan het andere eind en vervolgde zijn traject met een nonchalance die slechts de ware almacht zich kan permitteren. Hij was even voorspelbaar als de komst van een komeet of een regen meteoren, en bevond zich nu veilig uit de buurt.

Uit het gebladerte van de struik steeg een wuft rookwolkje op. Een paar kerels die op de uitkijk stonden begonnen met hun handen te wapperen, niet te opzichtig, anders viel het op. Toen meneer Bouillie stilaan weer dichterbij kwam, hadden ze zich allang weer verspreid en liepen schouder aan schouder te keuvelen alsof er niets gebeurd was.

Ik hoopte dat Willem snel terug zou zijn, maar na een zoveelste beltoon werden we nogmaals de refter in gedreven en over de schoongemaakte tafels verdeeld, waarna meneer Bouillie met de vingers knipte ten teken dat de stille studie begonnen was.

Veel meer dan mijn naam invullen op mijn schriften had ik niet te doen. Er hing nog een vage soeplucht boven de tafels en behalve de regelmatige tred van meneer Bouillie, soms opgaand in het geklak van meetlatten die werden neergelegd, viel er niet veel anders te beluisteren.

De andere jongens aan mijn tafel zaten druk sommen te maken. Ik deed zo lang mogelijk over het invullen van mijn naam, sloeg toen mijn godsdienstschrift open en las wat meneer Vaneenooghe ons had laten noteren over God, Wiens hand onafgebroken op onze schouders rustte, soms als die van een kameraad, soms met de zwijgende afkeuring van een boze vader.

We hadden een cirkel moeten tekenen, en als het midden van die cirkel God was, had meneer Vaneenooghe gezegd, 'teken dan een puntje waar jij denkt te staan'.

Ik had me het liefst buiten de cirkel geplaatst, maar had het gevoel dat zulks niet echt op prijs zou worden gesteld.

'Aha, het zoveelste randverschijnsel,' had meneer Vaneenooghe gezegd toen hij een blik op mijn blad wierp, en zijn ringbaard had zich plukkig om een afgedragen grijns gelegd.

Ik werd in mijn overpeinzingen gestoord door gekletter

van pennen, een stoel die abrupt verschoof, en zag toen ik omkeek hoe meneer Bouillie een jongetje bij zijn nekvel greep en hem als een vodje voor zich uit hield.

'In de studie wordt niet geprutst!' brieste hij en dreef het joch de trappen van het podium op, waar het met de rug naar ons moest staan 'om er eens over na te denken.'

Er klonk een onderdrukt gesnik door de refter. Meneer Bouillie vervolgde zijn weg en trok de mouwen van zijn jasje recht.

Ik wilde een soort elektrisch schild rond me optrekken, zoals de helden deden in de futuristische strips waaraan ik zo verslingerd was. Een onzichtbare, amper te doorbreken koepel, waaronder ik me kon afsluiten voor het maanlandschap om me heen, en tegelijk voorkomen dat de gloeiende haat die bezit van me nam al te merkbaar uit mijn poriën naar buiten gutste. Ik beet op mijn tanden en zette streepjes in de marges van mijn kladschrift.

De middag sleepte zich verder. Om halftwee begonnen de lessen weer. De hemel klaarde even op, door de hoge ramen van de klas klotsten gulpen van de meest verfijnde verveling die ik ooit geproefd had.

Een kerel met een klokdas en een dikke bril klapte zijn aktetas open en vroeg of ik 'Je m'appelle Antoine' wilde zeggen. 'Et vous?' Waarna Willem 'Mon nom est Guillaume' moest antwoorden. 'J'ai aussi une petite soeur. Elle s'appelle Kathérine.' Hij keek me schaapachtig aan.

Na de klokdas kwam een schriel ventje in een stinkende trui naar binnen. Hij ontrolde tegen het bord een miezerig landkaartje met de belangrijkste industriegebieden van het land, waarvan hij alle sectoren opsomde, zoemend als een vlieg die doelloos rondcirkelt onder een lamp.

Willem strekte zich uit in zijn bank. 'Ik zou kunnen slapen.'

Hij liet zijn vingerkootjes kraken.

'De Vries, ga rechtop zitten. Geen bloemzakken in mijn les,' klonk het vanaf het bord.

Hij kwam traag overeind, liet zijn vingers op het tafelblad trommelen en blies zijn wangen op.

'Debiel,' hoorde ik hem fluisteren.

De bel van vier uur ontketende anarchie. Meneer Bouillie zwaaide tussen de wegstuivende fietsen met zijn armen alsof hij een school haringen wilde vangen en moest knarsetandend toezien hoe we vrolijk uit zijn vingers glipten.

Roland reed een eind voor mij en Willem uit, omgeven door zijn maten, in een luidruchtig peloton dat opvallend stilviel toen uit de oprijlaan van het nabijgelegen Marialyceum meisjes in blauwe uniformrokjes de straat op vlinderden.

Op de markt, aan de voet van de kiosk, kwamen ze in dichte drommen samen, gleden uit het zadel en bonden hun truitjes om hun heupen om hun rokken korter te laten lijken. Ze liepen als waadvogels aan de oever van een meer te snateren, ietwat schichtig om zich heen kijkend naar de jongens, die aan de rand van het plein nabij de cafés stonden te kletsen en de stang van hun fiets tegen hun dijen lieten dansen.

'Wil je hier blijven hangen?' vroeg Willem. Hij leunde verveeld over het stuur van zijn fiets.

'Ik moet van mijn vader bij mijn neef daar blijven,' zei ik.

Roland scheen geen haast te maken. Hij had zijn jasje op zijn fiets gebonden, de mouwen van zijn hemd opgestroopt en onderhield zich met zijn maten.

Er hing spanning in de lucht. Tersluikse blikken flitsten heen en weer. Schunnige opmerkingen kaatsten over de plaveien. Nog even, en de meisjes stegen klapwiekend op.

'Je moet toch ook door het bos?' zei Willem. 'We kunnen ginder op hem wachten.'

We reden langs de marktplaats om Ruizele uit, de heuvel op en stopten op de plaats waar de weg onder de kruinen verdween.

Willem nam zijn lokken samen en bond ze met een elastiekje in een staart.

'Nu mag het weer,' zei hij.

Hij kruiste zijn armen op het stuur en keek uit over de daken, de gevels van het ziekenhuis en de kerktoren, waar in gulden letters *Destructa 1914 - Resurrecta 1920* boven de galmgaten stond.

'Ben je altijd zo serieus?' vroeg hij.

'Ik weet niet…' zei ik onzeker. Ik had nog niet vaak op die manier over mezelf nagedacht. Misschien was ik inderdaad wel serieus. Ik was vroeger alleszins blijer geweest, wanneer er pakjes onder de kerstboom lagen of mijn verjaardag werd gevierd. Maar op mijn communie, een paar maand eerder, had geen van de cadeaus me nog kunnen verrukken zoals voorheen.

Zelfs het polshorloge dat ik van nonkel Roger had gekregen had me maar heel even weten op te tillen van plezier. Het leek me al te zeer bedoeld om me voor te houden dat het vanaf nu menens was. Je moest ervoor zorgen dat het niet voor de echte tijd uit liep, erachteraan hinkte of zelfs helemaal stilviel. In de wijzerplaat zat een vakje waarop de datum vanzelf versprong, klokslag middernacht, ik was er speciaal voor wakker gebleven, en van het radertje waarmee ik het mechanisme moest opwinden, hadden de ribbels mijn duim bezeerd.

Ik wilde juist weg van de tijd. Ik had het gevoel dat de nieuwe school niet veel meer was dan een façade die een fabriek of militair laboratorium verborg, waar tijd als een geheimzinnig, pas door geleerden ontdekt element rechtstreeks in onze aders werd ingespoten, om na te gaan hoeveel we ervan verdroegen voor we slaperig of opstandig werden. Er zat zelfs tijd in de soep die we elke middag voorgeschoteld kregen en die, leerde ik later, van maandag tot vrijdag steeds dunner werd, tot er niet veel meer overschoot dan water met wat groene vodjes erin.

Ik hoorde Willem gniffelen.

'Dromer,' zei hij.

Ik droomde niet. Ik keek te veel. Ik zag te veel. Mijn ogen waren trechters. De wereld goot er kwistig indrukken in. De ware huistaak waar ik me iedere avond aan moest wijden, was ze te ordenen, op hun plaats te zetten, in doosjes te stoppen, als puzzelstukken in elkaar te passen, zodat ze niet bleven rondhangen en 's nachts mijn lijf omwoelden als een laken.

Waarom was Roland zoals hij was? Hij kwam net de heuvel oprijden, opkleppend tegen zijn maten. Waarom viel alles bij hem samen? Hij sprak zoals hij liep of op de pedalen van zijn fiets trapte: verbeten en hoekig. Zijn gedachten leken op zware kasten in zijn hoofd. Ze klapten alleen maar open wanneer onverwacht de vloer begon te hellen, en wat eruitviel rammelde als omvallende kookpotten. Naast hem was ik een dienstmeisje dat voorzichtig laden opentrok, voor de spiegel heimelijk jurken tegen zich aan hield en ze zo rimpelloos mogelijk weer opborg.

Hij en zijn maten reden ons voorbij zonder op noch om te kijken.

Willem keerde zijn fiets. We lieten ons onder de bomen de helling afbollen. De afgelopen uren leken als druppels van hem af te glijden.

Ik was die ochtend voorbij zijn huis gereden zonder te weten dat hij er woonde. Het lag op de hoek van twee dreven. De gaten in de rododendrons lieten een ruime tuin vermoeden. Ik zag een glijbaan, op het gazon een felgekleurd beeld van een vlezige, woest met armen en benen zwaaiende vrouw, beschilderd met grote bloemen, en verscholen in het lommer de contouren van het huis. Het zag er eigenaardig uit. Donker en groen uitgeslagen, met vochtstrepen in het oppervlak van het beton. De gevels met grote ramen leken door de tuin te kronkelen om zoveel mogelijk bomen te ontzien.

'We zijn er weer vanaf,' zei Willem. Hij liet zich uitbollen, de voortuin in, een spelonk van kamperfoelie en klimop tegemoet, waaronder een garage openstond, met daarnaast een glazen deur.

'Ik zal hier op je wachten,' zei hij. 'Tot morgen.'

'Tot morgen.'

Ik ging op de trappers staan en poogde Roland in te halen.

6

De dagen werden zienderogen korter. Wanneer Roland en ik 's avonds naar huis terugkeerden, zat de schemering ons steeds dichter op de hielen. Thuis mochten de vlammen in de kachel met de dag langer tegen het beroete glas op likken, op het rooster suisde de ketel dat het winter werd. We gingen dichter op elkaar leven nu het kouder werd.

Het waren de weken waarin de hemel van richting veranderde. Orion rees naar het zenit, de lucht kwam in beweging, wakkerde aan tot vlagen die 's nachts hun vingers tussen de muren en de gesloten vensterluiken wrongen en het houtwerk in de hengsels lieten trillen.

Ik had nooit van de herfst gehouden. Vanaf eind augustus had ik altijd het gevoel dat het weefsel van de zomer als breiwerk rondom mij werd uitgetrokken, opgerold en ergens ver buiten mijn bereik verborgen. Nu leken de buien en de eerste stormen samen te vallen met mijn ziel, die zelf tussen twee seizoenen in hing.

Op een avond had mijn moeder de badkamer betreden terwijl ik me stond af te drogen, met een kort 'pardon' was ze weer naar buiten gegaan. Aan de telefoon had ik haar tegen een van haar zussen horen zeggen dat ik groot werd, en dat het vroeg was, nog maar juist twaalf geworden.

'Maar ja,' had ze gezegd. 'Onze Aloïs, die was er ook vroeg bij, en gij kreeg uw regels op uw elfde.'

'Vroeg rijp, vroeg rot,' had ik haar lachend horen zeggen voor ze de hoorn had neergelegd.

Als ik mezelf tot aan mijn middel bekeek, zag ik, op wat uitslag op mijn voorhoofd na, mijn oude afgeronde zelf. Maar liet ik mijn blik wat zakken en bekeek ik het haar in mijn dijen, dik en zwart, in een dicht bos opkrullend rond dat onnoemelijke ding tussen mijn benen, dan leek ik het voorwerp van een macabere grap die me langzaam in een dier veranderde.

Ik vroeg me af of ook anderen er zoveel last van hadden. Of ze net als ik moesten gaan verzitten wanneer onverhoeds, om onduidelijke redenen, aders begonnen te kloppen, rillingen mijn buikvlies bevingerden, en het ding onder de rand van mijn slipje uit zwol, hoezeer ik ook mijn dijen dichtkneep, zodat de spanning van het elastiek me deed huiveren.

Als het me in de klas overkwam, verstrakte ik, keek om me heen of niemand er iets van zag, vooral Willem niet, die er schijnbaar nooit door werd geplaagd.

Meneer Vaneenooghe had het in een van zijn lessen wel gehad over 'zekere veranderingen', en een speciale diamontage aangekondigd, met als titel *Groeien in Tederheid*, maar meer dan jongens die hand in hand met meisjes door weiden of dreven wandelden was er niet te zien geweest. De beelden werden ondersteund door een cassettebandje met trompetmuziek en een stem die heftig articulerend zeemzoete teksten voordroeg. Voor de rest bleek God vooral gesteld op de dagelijkse hygiëne. Meneer Vaneenooghe had het woord uitgesproken alsof er een haartje tussen zijn tanden zat.

Op het medisch onderzoek had de arts van dienst mijn slipje naar omlaag getrokken, gevraagd of ik op mijn hand wilde blazen en me met koude vingers betast. Terwijl hij iets aankruiste op een formulier had hij gemompeld: 'Dat ziet er goed uit.'

Ik had aan Willem gevraagd of het er bij hem ook goed uitzag. Hij had me fronsend aangekeken en ik had het niet aangedurfd om verder te vragen.

Het was zo al een vreselijke namiddag geweest. Een verpleegster had eerst mijn bek opengesperd en met een stokje tegen al mijn kiezen getikt. Toen had ik me voorover moeten buigen, waarna ze met haar duim en wijsvinger mijn billen had opengetrokken. Daarna had ze me een koptelefoon op de oren gezet en was bijna gek geworden omdat ik links met rechts verwarde.

Ze had me zuchtend een wc ingeduwd. In een van de muren was een luikje opengeschoven, waarachter een glazen maatbeker stond, die ik enigszins beteuterd in mijn handen had genomen. Het was pas toen er na een paar minuten op de deur werd geklopt en ik haar vertwijfeld hoorde vragen: 'Heb je nu nog niet gedaan?' dat ik doorhad wat er van me verwacht werd.

Het liefst had ik me opgesloten, in de bast van een boom een groeve opgezocht en een cocon van zijde rond mezelf gesponnen om tijdens een lange slaap te verpoppen. Maar 's nachts, in het behaaglijke donker, hield de pijn in mijn gewrichten me regelmatig wakker. Wanneer het stormde leek de wind die om de gevels ziedde uit mezelf te komen. Er waren nachten dat ik kletsnat ontwaakte en het ding maar niet wilde gaan liggen. Ik probeerde rust te vinden in de vertrouwde geluiden van Rolands slaap, als hij tenminste zelf niet wakker lag en ik aan zijn adem kon horen dat hij lag te wachten tot ik insliep.

Driemaal per week kwam hij met natte haren thuis, geurend naar aardkluiten die hij buiten op de drempel van de voordeur uit zijn voetbalschoenen peuterde. Hij haalde handdoeken uit zijn sporttas die zo doordrongen waren van zijn lucht, zijn gekmakende zweet, dat er een onzichtbare dubbelganger uit hun plooien leek te vallen wanneer hij ze over de rand van zijn bed drapeerde.

Hij vrat, zoop, boerde en liet winden met een schaamteloosheid die ik heimelijk benijdde, net als de subtiele hekserij waarmee Roswita zijn branie in één beweging aan diggelen kon slaan.

Op het doksaal had ze me een paar weken nadat hij was aangekomen zonder veel omhaal van mijn plaats verstoten en zich matriarchaal tussen hem en mij in geposteerd, om hem tussen de gezangen door zaken in te fluisteren die hem zichtbaar verontrustten.

Hij stak zijn handen tussen zijn knieën en wreef onwennig zijn handpalmen over elkaar. Haar vriendinnen hielden alles nauwgezet in het oog, stootten elkaar aan, schenen op de hoogte van zeer gesofisticeerde strategieën en noteerden inwendig zijn blosjes alsof het doelpunten waren.

Ze gingen naar bijna elke match. Roswita's vader trakteerde royaal in de kantine, in de hoop ooit burgemeester te worden. Zijzelf zat meestal met haar gevolg onder een afdak van golfplaten nabij de kleedkamers, juichte als er gescoord werd, joelde bij een misser, en wachtte tot de scheidsrechter floot en de spelers het veld verlieten.

'Ge hebt een schone loop, Roland,' riep ze dan. 'Mijn vader zegt het ook.'

Meer was er niet nodig om het bloed naar zijn wangen te jagen en hem de paar passen naar de kleedkamer te laten afleggen met het hoofd tussen de schouders.

Daarbinnen bliezen de douches stoom. Soms, als de deur niet helemaal dicht was gevallen, zag ik hem met gesloten ogen onder de waterstraal staan, omringd door lichamen wazig van de damp, die hard tegen elkaar op riepen alsof ze hun naaktheid met stoere taal wilden beschermen.

Wanneer hij thuis, na zich te hebben gewassen, in zijn kleren stapte, kon ik hem soms eenzelfde salvo van woorden ontlokken. Hij nestelde altijd omstandig zijn billen in zijn onderbroek, trok daarna met zijn beide duimen het elastiek open en bestudeerde ernstig de inhoud.

Ik schiep er een venijnig genoegen in hem gade te slaan. Wetend dat hij op zijn kwetsbaarst was, doopte ik mijn woorden zorgvuldig in snelwerkend gif en mikte langdurig voor ik ze loste.

'Scheelt er iets, Roland? Hij is toch niet gekrompen?'

'Kijkt naar iets anders als 't u niet aanstaat. Jongen-onnozelaar-kalf-dat-ge-zijt…'

'Ge hebt toch graag dat ik naar u kijk?'

Meestal zweeg hij en kleedde zich in stilte verder aan.

In de buurt van Willem werd ik evenveel met stomheid geslagen als Roland wanneer Roswita hem met haar voelsprieten betastte. Hij was een stuk zwijgzamer dan de anderen. Niet zo teruggetrokken als ik, maar omzwermd door kameraden zoals Roland, die zich altijd met bosjes tegelijk verplaatste, zag ik hem nooit.

Meestal was ik zijn enige gezelschap. We liepen samen over de speelplaats, overschouwden van op afstand de schoolse woestenij met een blik die al wat ons niet beviel genadeloos de grond in keek, maar werden zelf voortdurend gevolgd door meneer Bouillie, in wiens ogen behalve professionele minachting ook onzekerheid te bespeuren viel. Hij kon ons nergens goed onderbrengen. Doetjes waren we niet, rebellen evenmin. We haalden behoorlijke cijfers, in de klas werkten we met een zorgvuldig gedoseerd mengsel van tegenzin en geestdrift mee, maar zetten tegelijk onze stekels op. Niemand zou ons raken. We vertoefden het liefst in uithoeken, nabij de fietsenstalling of in de schaduw van de galerij, waar de wind papiertjes omhoog deed wervelen, als meneer Bouillie ons niet verdreef.

'Callewijn,' had hij op een dag gezegd, na de middagpauze. 'Ge komt blijkbaar zo goed overeen met De Vries.'

'Ja meneer.'

'Er zijn toch nog andere jongens? Ge kruipt altijd zo samen.'

'Ja meneer.'

'Ge moet u toch een beetje integreren...'

Ik wist niet eens wat integreren was.

'Hij houdt zich in,' zei Willem. 'Omwille van mijn pa. De centen.'

Als ik maar scherp genoeg toekeek, me uiterlijk naar de regels voegde en aan de verveling weerstand bood, moest het mogelijk zijn om het verborgen raderwerk van de school te doorgronden, haar ingebakken vernederingen met geheven hoofd te verdragen en haar min of meer ongehavend te doorstaan.

De eerste zwemles bleek een goede oefening. De dag zelf was ik al gespannen van huis weggegaan. In het kleedhok dat we met tweeën moesten delen, probeerde ik mezelf zoveel mogelijk van Willem af te schermen. We poogden elkaar te ontwijken, niet te botsen, of maar heel even, waarbij we 'sorry' mompelden, en ik wachtte zo lang mogelijk om me helemaal uit te kleden.

Zijn lijf maakte me moedeloos. De natuur had hem uit een volmaakte mal gegoten, anders dan ik die uit restjes leek samengesteld. Mijn ene tepel hing lager dan de andere en stond ook iets meer verheven. Het kuiltje in mijn borst was te diep naar mijn smaak. Op mijn billen verschenen regelmatig rode oneffenheden, waardoor ze op onrijpe bessen leken, ertussen tierde welig haar.

De zwembroek die mijn moeder ongetwijfeld ergens uit een voordeelmand had gegraaid, een nogal amorf ding met bruine strepen en oranje dotten, droeg niet echt tot mijn zelfvertrouwen bij. Ze stak hevig af tegen het sobere donkerblauw van die van Willem. Hij had zich zonder gêne uitgekleed en ze fluitend aangetrokken.

Hij was blond. Ook daar. Onder zijn navel krulde een wellevend vlasblond bosje, en wat zich diep in de schacht van zijn dijen verschool, had er volgens de schoolarts waarschijnlijk erg goed uitgezien.

Hij bewoog zich met een zelfverzekerdheid die meer uit zijn harmonieuze ledematen leek voort te komen dan uit hemzelf, en deed me hunkeren naar iets wat ik maar halvelings kon bevatten. De belofte van een grenzeloze zegening, het gevoel op te lossen in de tijd, me als een schelp te kunnen openen en aan mijn eigen spichtige zelf te ontkomen.

Hij leek net als Roland naadloos in zijn eigen ledematen te passen. Zijn lichaam sprak hem uit, het viel hem zelden in de rede. Hij had geen armen waar hij zich als veel te lange mouwen geen raad mee wist. Hij kruiste ze op zijn bank of liet ze gewoon maar naast zijn bovenlijf hangen wanneer hij achterover leunde in zijn stoel, terwijl ik de mijne het liefst enkele centimeters had ingekort. Ze zaten altijd in de weg en boden onderdak aan al mijn onhandigheid.

Hij tikte tegen mijn neus.

'Je zit weer te dromen. Kom.'

Meneer Bruane, de gymleraar, die zijn neusbeen had laten verwijderen omdat het een bokscarrière in de weg had gestaan, had even voordien in zijn handen geklapt en overal waren de deurtjes van de badhokken opengegaan.

Ik wachtte tot de laatste blote voeten over de natte vloertegels waren voorbij gepletst voor ik het badhok verliet.

We moesten op de rand van het bad gaan staan. Meneer Bruane liet ons een voor een in het water springen en twee lengtes afleggen.

Ik had het binnensmonds gelach om me heen koel genegeerd en gemeend er zonder schimpscheuten onderuit te zullen komen, tot meneer Bruane me vlak voor het einde van de les verzocht om plaats te nemen op de duikplank en de sprong te maken die hij even tevoren had gedemonstreerd.

Ik stond er in al mijn amechtigheid open en bloot te kijk,

onder het gejoel van mijn klasgenoten met hun dure broek-
jes en hun bruine teint uit Marseille of Saint Tropez, en de
spot in de ogen van de leraar was me niet ontgaan.

'Cal-le-wijn! Cal-le-wijn,' riepen ze.

Ik zette me af op de plank, haalde adem en sloot de ogen.

Ik zal niet erg elegant in de diepte verdwenen zijn. Het
water trof me als een vuist in mijn buik en even hoorde ik
gebulder.

Toen stilte. Blauw licht. Luchtbellen. Paniek. Mijn eigen
spartelende armen en benen.

Toen ik weer aan de oppervlakte kwam, waren de anderen verdwenen, op Willem na.

Hij strekte zijn armen in het gootje vlak boven het watervlak en keek me ongemakkelijk aan terwijl ik met beide
handen mijn tranen verborg.

'Kom eruit. Het is voorbij.'

Ik schudde woest het hoofd. 'Kan niet…'

Hij wachtte.

'Callewijn, vindt ge 't ineens zo gezellig in 't water?' riep
meneer Bruane, en een nieuwe golf van gebulder steeg uit
de kleedhokken op.

'Kom dan toch.'

'Laat me gerust.'

'Straks krijg je nog straf erbij.'

Ik keek hem strak in de ogen.

Hij beantwoordde mijn blik eerst met onbegrip, rolde
toen met zijn ogen, maakte zich los van de kant en verdween onder water.

Het duurde een tijd voor hij weer boven kwam en met
een uitgestreken gezicht mijn zwembroek in mijn handen
duwde.

'Je mag je nooit laten kennen,' zei hij terwijl we ons weer aan het aankleden waren. 'Ze rieken het. Het zijn wolven. Ze pikken er de zieke koeien uit.'

Ik droogde mijn tranen. Knikte.

'Ze zijn daarin gespecialiseerd.'

Hij vloekte, trok zijn jasje aan en knoopte zijn sporttas dicht.

Hij was al bijna buiten. Ik aarzelde voor ik hem terug-riep.

Hij draaide zich om.

'Ja?'

Mijn wangen gloeiden.

'Kunt gij mijn schoenen strikken?'

7

Over dat najaar hangt in mijn herinnering het gelaten licht van een dag onder een zwaar wolkendek, en de stilte van oktober, toen er onafgebroken mist boven de dijk hing en het dagenlang miezerde.

Het was de herfst waarin plotseling met een ongehoorde scherpte tot me doordrong hoe grijs mijn vader werd, vooral rond zijn oren. Ik zag het op een avond toen hij aan tafel zat. Hij was laat thuisgekomen wegens overwerk en kankerde terwijl hij zijn bord leegat over toestanden op de fabriek, waar blijkbaar van alles misliep.

'Met de jaren ziet ge meer en meer zotheid,' had hij me toevertrouwd.

Na elke hap was zijn kwaadheid iets meer weggeëbd. Ik zag hem in zichzelf verzinken. Af en toe borrelde uit zijn borstkas nog een stille verwensing op, toen was het over. Hij had de krant naast zijn bord gelegd, en was beginnen te lezen.

Hij wordt oud, dacht ik, en ik schrok ervan. Zijn vader, die ik nooit heb gekend, was op zijn dertigste al wit. Foto's bewezen het. Maar dertig was oud. Mensen waren toen nog klein, groot of oud. Mijn vader was altijd groot geweest. Groot zijn, dat was schaduw geven, je uitstrekken als een kruin. Ik had me altijd in zijn armen genesteld als in het wortelstelsel van een boom.

Nu werd ik zelf groot, mijn moeder zei het. Hijzelf zei

het ook, op die dagen dat ik nukkig door het huis liep, Roland treiterde, me dramatisch op mijn bed wierp, deuren veel te hard dicht sloeg, mijn schoenen niet in het rek zette maar midden op de vloer liet staan, wat hem uit zijn zetel deed opveren en vertwijfeld liet vragen: 'Anton, jongen, wat scheelt er nu eigenlijk?'

'Ik weet het niet,' brulde ik dan, op de trap. 'Alles.'

Als de storm geluwd was, kwam hij op de rand van mijn bed zitten, zweeg lang en zei tenslotte: 'Ge wordt groot.'

Hij had al een leesbril nodig om zijn kruiswoordraadsels in te vullen. Ze vergrootten zijn ogen, waardoor ze de wereld aangaapten met een machteloze verbazing die me steeds vaker van een ondraaglijke meewarigheid vervulde. Mijn vader, oud. De gedachte ergerde me. Zijn slenterende tred over de vloertegels naar de badkamer ook. Zijn handen op mijn schouders wanneer hij mijn kamer binnenkwam terwijl ik mijn huiswerk zat te maken en vroeg: 'Treurdicht. Vijf Letters. Latijn.'

'Nenia, pa.'

Hij vergat het altijd. Hij vond nooit zijn woorden. Wanneer 's zondags Roswita's vader het café betrad, trok hij zijn schouders rond zich op. Als hij sprak, hoorde ik zijn vingers in zijn broekzakken met muntgeld en sleutels rammelen, verbeten op zoek.

Ik keek het aan. Ik werd groot. Hij kromp in mijn ogen. Ik groeide boven het dak en de stallen uit. Mijn gedachten vertakten zich. Groot zijn, het had me, in die jaren toen ik nog nergens bij kon en ernaar verlangde even hoog te reiken als de kasten, zo rustig geleken. Maar het deed pijn.

Het lag aan Willem. Het was alsof ik binnen in zijn lange lichaam naar boven klauterde en de wereld door zijn ogen bezag.

Op een woensdagmiddag belandde ik bij hem thuis, Roland was die dag bij zijn vader. Het water kwam met bakken uit de hemel. Na vijftig meter waren onze jassen tot op de draad doorweekt.

'Je zou beter bij ons schuilen tot het over is,' zei hij en ik reed hem achterna, de garage in.

We lieten onze schoenen achter op de mat. Hij trok een deur voor me open, leidde me over een grijsgroen tapijt een lange gang in, die aan de ene kant volledig uit glas bestond, en ging me voor op de trap, naar zijn kamer. Onderweg griste hij handdoeken uit een kast en wierp me er een toe.

We wreven ons droog, hingen onze broeken over een stoel en zaten aan zijn werktafel door het raam te kijken, naar de kale beregende kruinen. Over het tafelblad rolden we steeds dezelfde knikker heen en weer. Hij toonde me zijn boeken. Nogal veel natuur naar mijn smaak. Legde zijn platen op. Lawaai, in mijn oren.

Hij fatsoeneerde zijn bed en strekte zich erop uit, de handen in de nek, stond weer op en gaf me een van zijn broeken. De pijpen plooide hij tot ver boven mijn enkels om zodat ik er niet over struikelde.

Er was dat raadselachtige ogenblik, terwijl hij naar de wc was, toen zijn moeder met een mand wasgoed de trap op kwam, op de overloop bleef staan, gedag zei, vroeg wie ik was en me, ik weet niet hoe lang of hoe kort, van kop tot teen bekeek.

Ik sloeg de ogen neer, bestudeerde de boekenkast en keek naar mijn vingers.

Toen ik weer opblikte was ze al verder gelopen, een andere kamer in, waar ik haar hoorde zeggen: 'Katrien, als je toch niet oefent, doe hem dan dicht. Anders komt er stof in de toetsen.' Wat later begon iemand plichtmatig een piano te mishandelen.

'Eet die jongen met ons mee?' vroeg ze toen we naar beneden kwamen.

'Blijf je eten?' herhaalde Willem, alsof ik haar niet begrepen had.

'Ik weet niet... Ze zijn waarschijnlijk al ongerust bij mij thuis.'

'Dan bellen we toch?' zei ze. 'Wat is het nummer?'

Ze sprak mijn moeder aan met: 'Mevrouw, de moeder van Willem hier. We hebben een drenkeling gevonden.'

Ik wist zeker dat mijn moeder er niets van begreep. Ik hoorde haar stotteren tot waar ik stond, zich uitputten in excuses, of ik geen last was.

'Hij is doornat, mevrouw. Zijn kleren hangen boven te drogen.'

Ik moest ten laatste om vijf uur thuis zijn.

Het huis van Willem ademde. Het zoog door brede ramen overal waar het kon licht naar binnen. Het strekte zich uit op het gazon en keek naar de bomen. Tegen de wanden, boven lage kasten en lange lederen banken, hingen grote schilderijen. Egale vlakken gekleurde mist. In de tuin ving het beeld van de dansende vrouw schaterend de regen op.

Zijn vader kwam langs een andere trap uit zijn kantoor naar beneden en drukte me de hand. De tafel was gedekt voor vijf.

'Smakelijk, kinderen,' zei hij en vouwde een linnen servet open in zijn schoot.

Ze spraken deftig, met een soepel gemak dat mijn vader verwoed in zijn zakken had doen graaien. Er kon geen sprake van zijn dat ze me naar huis zouden brengen, wat Willems moeder had voorgesteld.

Zijn zuster had me de hele tijd boven haar bord zitten begapen.

'Katrien,' had haar moeder gelachen. 'Vergeet niet te eten. Laat meneer een beetje met rust.'

Ze waren vriendelijk. Ontzagen me. Ze lazen mijn verlegenheid. Het zat in mijn kleren, mijn geruite hemd, mijn trui met v-hals, mijn lange kousen, waarvan niets bij elkaar paste. Ik stak hevig af tegen hun sobere donkere dracht.

Ze hadden het over reizen. Het binnenland van Spanje. Namen van steden rolden als toverspreuken over hun lippen. Toen het over de school ging, stak Willems vader in een imitatie van de directeur zijn wijsvinger op en zei: 'Meneer Bouillie is een goed mens, Willem. Een goed mens.'

Ik lachte ongemakkelijk met ze mee maar durfde weinig te zeggen, bang dat mijn ruige beschaafdheid de lucht van natte baksteen, mos en keldermuren zou verraden.

Thuis werd er aan tafel zelden veel gezegd. Soms zat Roland te kleppen over wat hij en zijn maten in de klas hadden uitgehaald, waarbij hij bijna stikte in zijn lach. Meestal bleef het stil.

We waren Callewijns. We schurkten ons tegen elkaar, achter de muren van het erf die op hun beurt wegkropen tegen de dijk. Als er onaangekondigd wielen over de kasseien ribbelden, een wagen zich keerde onder de poort of onverwacht bezoek aanbelde, stonden we op en keken argwanend door de ramen.

'Ik zal een vent op de muur tekenen, dan kan ik daar wat tegen spreken,' sakkerde mijn moeder geregeld wanneer op haar waslijst van klussen geen reactie kwam. We gingen met gesloten vuisten door het leven, bang dat we zouden vervliegen of bestolen worden.

'Je hebt je bed opgemaakt,' merkte Willems moeder op. 'Dat is ook uitzonderlijk.'

Hij boog het hoofd, kin op de borst, en werd rood. Ik zag dat hij boos was, niet beschaamd. Als hij woest werd, begon hij altijd met zijn knieën te wiegen. Het gebeurde in de klas, ogenschijnlijk zonder aanleiding, in de duffe stilte terwijl we vraagstukken zaten op te lossen. Ik kon het voelen aan de lucht, die rond hem dikker leek te worden.

Het welde in hem op wanneer meneer Bruane een nieuw slachtoffer te kakken zette, als hij meneer Bouillie over de koer zag lopen, maar nog het vaakst in de lessen van meneer Vaneenooghe, wanneer het over God ging, de superdirecteur, in de raderen van Wiens eeuwigheid we knarsten als zand, nog lang niet fijn genoeg tot verveling vermalen.

Ze konden spotten bij hem thuis. Mijn vader had er niet bijster veel talent voor. Ik moest het van mijn moeder hebben, die er zich mee overeind hield, terwijl mijn vader altijd boog. Hij boog onder zakken graan of de goddelijke zegen, in het aanschijn van de ploegbaas of Christus Koning, die boven het altaar in de kerk de globe in zijn handen woog, het terrarium der schepping, omspeeld door serafijnen.

In het café werd hij met dezelfde meewarigheid bekeken die ik steeds vaker door mijn borst voelde schieten, maar zonder mijn treurnis. Mijn vader, verrader der boerenstand. De dieren verkocht, arbeider geworden, simpele werkmier. Hij trok zijn schouders op en zette zich schrap tegen de voetzool van God.

Ik zag de neerbuigendheid van pater directeur. Achter zijn elegante montuurtje zeiden zijn ogen dat ook ik een mier was, niet onbegaafd, geen slechte leerling, maar toch een mier zonder kapitaalkrachtige pa. Mier-zijn was mijn vervulling, mieren zou ik. Op sommen, op spraakkunst. Op de belangrijkste industriegebieden en de natuurlijke rijkdommen van het land, die ik later op mijn kromgebogen schouders uit de korst der aarde of laadruimten naar buiten zou slepen en in sleuven of molens zou gieten.

Ik stond op voor het dessert ter tafel kwam, liep naar de wc en ging, terwijl Willem met zijn zusje bekvechtte en zijn vader schertsend tussenbeide kwam, op de dichtgeklapte bril zitten. Met de ellebogen op de knieën zat ik trillend naar de deur te staren, tot mijn adem bedaard was.

Rond drie uur begon het op te klaren. Willems moeder was vertrokken met de wagen om zijn zus naar muziekles te brengen. Zijn vader was boven in zijn kantoor verdwenen.

We lagen voor de buis en keken naar steekspelende ridders. Toen het peuterprogramma begon, zei ik dat ik naar huis wilde.

Onze broeken waren droog. Ik trok de andere die ik van

Willem gekregen had uit en stapte weer in de mijne.

Hij greep me bij mijn heupen, tilde me op en tolde rond zijn as, waardoor we allebei neervielen op zijn bed.

Er ontstond een worsteling die er geen was. Zijn vingers zochten plekken die ikzelf slechts in het holst van de nacht, onder de beschutting van de lakens, als blindenschrift durfde te lezen.

Ik weerde hem af, en ook weer niet, rook de lucht van zijn haar terwijl zijn rug als een scherm op mijn borst lag, en rukte me tenslotte vloekend los.

Hij bleef liggen, riep me nonchalant 'tot morgen' na.

Op de spoorwegbrug hield ik gewoontegetrouw halt. Het zwerk zat nog altijd potdicht. De spits van de kerktoren peilde de dikte van de wolken en prikte ze open. De brugpijlers daverden toen de sneltrein naar Brugge voorbij kwam.

Ik had het gevoel dat ik geboren was om toe te kijken hoe anderen zich wentelden in rijkdommen die ze niet beseften en die voor mij onbereikbaar zouden blijven, in donkere kasten, op veel te hoge schappen. Ik zou maar kruimels opvangen, koffiebonen, aalmoezen, ze in blikjes verzamelen, de tikjes tellen en alles verzegelen.

Het was weer gaan miezeren. Nieuwe regen viel aan de horizon in schermen over de daken.

Het zou naar kilte ruiken in de gang. Naar mijn vaders voeten. Naar damp die onder het deksel van kookpotten uit was gedanst en tegen de zoldering condenseerde.

Ik zou mijn schoenen uittrekken, ze achterlaten op de vloer, mijn jas druipnat aan de kapstok hangen, zonder iets te zeggen naar boven lopen, en ons veilig, benauwend nest zou zich krakend rond me dichtslaan.

Ik zette me af tegen het trottoir, slikte een vlaag van treurnis weg en liet me met een schreeuw over de helling naar beneden glijden.

8

Mijn verjaardag ging in stilte voorbij. Koffie voor drie, taart, geen kaarsjes. We hadden zwijgend zitten lepelen, mijn vader, mijn moeder en ik. Ze hadden me een boek gekocht: *IJsland, Kind van het Vuur*. Ze moesten in Ruizele of elders weifelend voor de toonkast hebben gestaan. Boeken met alleen maar woorden vertrouwden ze niet, waar gingen ze over, maar te veel prentjes, wisten ze, verfoeide ik. Dat was voor strips, en daar had ik massa's van.

De handelaar zal ze geholpen hebben, aan de oppervlakte beleefd en geduldig onder in een rek een onverkoopbaar exemplaar opgedoken hebben, met niet te veel foto's maar ook niet alleen maar woorden, zodat ze wisten wat ze kochten, en ze dan hebben nagekeken terwijl ze naar buiten stapten, de markt op, naar de wagen. Gerustgesteld, tevreden.

Het was in bruin pakpapier gewikkeld. Waarschijnlijk omdat mijn moeder het wat minnetjes vond, had ze er 'Gefeliciteerd' opgeschreven, in haar ouderwets krullende handschrift. 'Nog vele jaren. Ma & Pa.'

Nog vele jaren. Ik had het opengeslagen, boven op mijn kamer. De kus waarmee ik ze beiden bedankt had, lag nog op mijn lippen en in mijn ribben hing de droefenis die me op de trap had overvallen.

Het kon me niet boeien. Weinig kon me nog boeien. Ik

had het open op mijn werktafel gelegd. Ze zouden denken dat ik eraan verslingerd was, vragen of ik het mooi vond, en ik zou knikken, 'erg mooi,' maar het liefst had ik het op het schap gezet naast de andere. Schouder aan schouder hielden ze hun spanning steeds meer voor zich, wilden hun beelden niet loslaten en lieten mijn blik in klinkers en spaties verzanden.

Veertien. Ik schreef het op een papiertje en hield het tegen het licht. Ik bekeek mezelf in de weerspiegeling van het raam, melkwit door de mist. Ik zag er niet uit als veertien. Ik had jeans moeten dragen, mijn haar in pony laten knippen en met mijn maten zeiltochtjes maken, dat deden ze allemaal in die boeken. Paardrijden ook. Tijdens vakanties aan zee brachten ze gangsters van hun snode plannen af, meestal op een verlaten eiland net buiten de kust, waar ze na zwaar weer gehavend maar heelhuids aanspoelden. Er waren kasteelruïnes en regenputten. Uit vermolmde kisten dolven ze gestolen goudstaven op, ze redden dochters van zakenlieden uit een verlaten vissershuisje en hadden doorgaans een hondje, Soda genaamd, Tarzan kon ook, dat steevast zichzelf en zijn baasjes in de penarie kefte. Het liet me allemaal koud.

Eindelijk hadden ze me klein gekregen, de pater, meneer Bouillie en alle andere gedrochten in de leraarskamer. Een schooljaar was voorbijgegaan, een zomer opgelicht en weer gedoofd, en ik had er niets van gemerkt. Nog even, en ik viel in een diepe slaap. Als ik daarna wakker werd, zou ik net als Roland zijn. Ik zou ventjes uit het eerste jaar meesleuren achter de laurierkers en ze na een paar minuten met betraande ogen weer de koer opjagen, na god weet wat met ze te hebben uitgespookt. Ik zou stompen uitdelen en niet meer mompelen maar blaffen, van voetbal houden en verlegen worden wanneer Roswita riep dat ik een schone loop had.

Zijn bed was al enige dagen onbeslapen gebleven. Hij bracht die herfstvakantie bij zijn ouders door. Mama was even losgelaten uit de inrichting waarover iedereen zo geheimzinnig deed, net als over het kaartje dat ze van daaruit verzonden had, in stijlvol maar danig door spelfouten beschimmeld Frans.

Mijn vader had diep gezucht en 'Roger, die sukkel' gezegd. Mijn moeder had gezwegen.

Ze riepen van beneden dat ze naar de graven gingen. Het was november. Op het kerkhof vingen chrysanten de mist en bedauwden.

Ik bleef thuis, lag op mijn bed, sloeg schriften open en tekende monsters in de kantlijn. Willem was met zijn familie op reis in de bergen. Hij had ernaar uitgekeken. Als hij maar weg was.

Hoezeer we ons op school ook inspanden om een even herkauwende indruk te wekken als de anderen, ons verzet trok de aandacht en er waren momenten dat ook hij zijn kalmte verloor, vooral sinds de dag dat de directeur ons tijdens het speelkwartier bij zich in zijn kantoor liet roepen. Niet goddelijk, omnipotent, van tijd noch eeuwigheid gemeten, met de marmeren gestrengheid van stenen tafelen in zijn maatpak, maar terwijl een uiterst subtiel reliëf van rimpels op zijn voorhoofd speelde, liet de pater zich die middag tussen ons neer in zijn simili-bankstel, prutste aan zijn dasspeld, sloeg de handen in elkaar en zei zorgelijk: 'Mannen…'

'Ja, pater?'

Ik zag de superieure, maar afgewogen spot die door Willems lichaam gleed, maar kon me tegelijk niet van de indruk ontdoen dat hij op zijn hoede was. Hij nestelde zich iets te rustig tegen de hevig naar nep riekende rugleuning en luisterde al te onaangedaan naar de pater die vaagheden over gemeenschapszin zat te neuzelen.

Een school was geen verzameling individuen, jongens, maar een nijvere bijenkorf. We moesten onze leraren, stuk voor stuk welmenende toegewijde zielen, niet als meerderen bekijken, maar als grote broers die alleen het beste met ons wilden. Meneer Bouillie had het ook gezegd. De pater liet welhaast doorschemeren dat de steunpilaar van onze school bittere tranen had geschreid. Die twee, ze doen niet mee met de vrije sportbeleving op woensdagmiddag. Ze geven zich nooit op als vrijwilliger om de vaat te doen of op dinsdag de bibliotheek open te houden, tevens vrijdags van vier tot zes.

'Het is niet goed, jongens, om u zo af te sluiten. Verstaat ge mij? Op uw leeftijd. Zo alleen maar met mekaar optrekken… En er is nog zoveel boeiends en wonderschoons te ontdekken. Kijk, we zijn allemaal mensen… ik ook,' merkte hij voor alle duidelijkheid op. 'Ge zijt jong. 't Is allemaal nieuw voor u, en niets is schoner dan reine vriendschap, maar toch…'

Het was alsof in zijn corpus scharnieren dringend moesten geolied worden. Deurtjes knarsten over vloeren, wilden niet helemaal open, en hij schrok ervoor terug om er zijn volle gewicht tegen te zetten.

'We kunnen allemaal diepe gevoelens hebben. Zeker als ge jong zijt. Laat mij eens een schone beeldspraak gebruiken…'

Hij lichtte een havanna uit een kistje op zijn salontafel, stak ze aan, liet ze op zijn onderlip rusten, blies diep nadenkend blauwe wolkjes uit en begon toen een etherische parabel over bloemknopjes en de tijd die ze nodig hebben om traag in het licht van de liefde als een volle roos open te bloeien, en hoe spijtig het toch was geweest indien wij, jong als we waren, hij verstond dat, hij was ook jong geweest, een even grote deugniet als wij… maar het ware toch jammer geweest als wij in al onze levensdrift elkaars knopjes hadden opengerukt voor het onze tijd was om te ontluiken.

Ik begreep er geen bal van, maar hoorde uit Willems neus een stoot lucht ontsnappen. Op zijn jukbeenderen laaide even een blos op, van schaamte of kwaadheid, dat was onduidelijk. Hij zat alleszins niet met zijn knieën te wiegen.

'Allez kom,' zei de pater tenslotte.

Hij gaf ons beiden manlijk een klap op de dijen en stond op. 'Ik weet wel dat jullie goede jongens zijn…'

Hij deed ons beiden uitgeleide, zichtbaar opgelucht zich te hebben gekweten van een taak die zeer delicaat moest zijn geweest.

Voor we de speelplaats betraden, draaide Willem zich om, het leek alsof hij tot dan gewacht had, en zei tegen de pater dat zijn vader nog zou bellen over het voorjaarssouper, ten voordele van twee nieuwe bokken voor de gymzaal.

'Ja, dat is waar ook,' antwoordde de pater. 'De affiche moet naar de drukker. Ik zal hem zelf wel bellen.'

Hij zei het minzaam, maar om de een of andere reden had Willems opmerking hem midscheeps getroffen.

We keerden terug naar de klas. De pauze was al afgelopen, de koer lag er verlaten bij.

'Verstond gij er iets van?' vroeg ik.

Hij duwde me grinnikend voor zich uit de trap op. In de klas gaapte iedereen ons aan.

Na de zomervakantie waren we elk in een andere klas terechtgekomen. Zonder hem werden de lesuren compacte eeuwigheden. Verveling legde steeds dikkere sjaals om mijn hals en leek me langzaam te wurgen. Ik dorstte naar de bel van vier uur, om hem op te wachten aan de bosrand, verkende intussen met dichtvallende ogen steeds diepere kelders van apathie, zag door de ramen wolkenvelden als gehavende legers met gebroken lansen en gescheurde banieren op vermoeide paarden over de horizon schuiven, of pepte me op en keek om me heen naar de anderen, die nijver zaten te noteren, wanneer de leraar iets vroeg hun hand opstaken en om zijn aandacht bedelden, en voelde ogenblikkelijk een azijnzure minachting de spieren van mijn aangezicht verstijven.

Ik had de hele wereld en al zijn gedoemde schepselen, mezelf incluis, als een klodder longslijm uitgespuwd, had ik gekund. Ik wilde weer klein zijn, niet meer dan een membraan waar de dagen op tokkelden en hun indrukken doorheen lieten schieten zonder dat ze bleven hangen. Honger hebben of dorst. Om melk krijsen en geeuwen. Slapen en wakker worden. De zomer rond mijn benen voelen laaien, onder een steen in de kelder salamanders ontdekken, likkebaardend als draken, de steen terugleggen, wegrennen, 'papa' roepen, en 's avonds, wanneer buiten alles bekwam en binnen in huis de tantes hun vlerken spreidden en zich losmaakten uit de hoeken waar ze de hele dag ondersteboven hadden geslapen, de zoete nacht begroeten, zijn deernis en zijn duisternis, even zwart als de bladen in de fotoboeken die me onder kalkpapier bewaarden zoals ik toen was.

Ik dacht aan mijn vader en mijn moeder. Man en vrouw schiep Hij hen. Hij las de krant, zij deed de vaat. Zij kloeg, hij suste haar. Samen vullen de seksen elkaars verschillen aan, had meneer Vaneenooghe in zijn lessen gezegd, en hij had een moeilijk woord op het bord geschreven: com-ple-men-tair. Het Boek der Schepping vertelde aldus een diepe waarheid, had hij eraan toegevoegd, maar zijn woorden hadden me niet overtuigd.

Zijn roestbruine trui, onder zijn gespikkelde colbert, liet eerder vermoeden dat zijn eigen wederhelft hem tweemaal per week samen met de vloerkleedjes aan de stofzuiger onderwierp of hem in het natte gras liet luchten. Hij werd altijd weemoedig wanneer hij over de kindervreugd begon, het vaderschap en zijn kroost. Een jongen en een meisje, Björn en Tineke gedoopt. Hijzelf heette Didier, dat zegt genoeg.

Om zijn les naar eigen zeggen met een persoonlijk nootje te kruiden had hij zelfs een foto van zijn trouwdag meegebracht en ons zijn gade laten zien, voorzover er onder die enorme hoed met lompe linten iets te bespeuren viel. Hij stond naast haar, voor een Japanse kerselaar, omvatte haar heupen en deed me denken aan het iele mannetje van een spin tijdens de beklimming van zijn gigantische wijfje. De foto was in kleur, maar door zonlicht paars verschoten. Hij moest ergens op een vensterbank staan, af en toe bepoteld, voor het weer tijd werd om het gazon te maaien of de wagen te wassen.

'Treden in het huwelijk op 4 oktober aanstaande,' meldde de trouwbrief in het lederen album met satijnen klosjes van mijn ouders. Het huwelijk. Een lapje grond afgebakend met witte hekjes in latwerk. Er groeit geen gras, de aarde is er keurig verdeeld in bedden met prei of sperzieboontjes. Onder een koepel geschraagd door ranke pilaartjes waaromheen zich rozen slingeren, ontbijten de echtelieden uiterst beschaafd met toast en jam, een fonkelnieuwe theemuts, serviesgoed van Boch en het tafellaken van tante Françoise dat ze eigenlijk lelijk vinden maar het heeft veel geld gekost. Als de schemering valt worden er horren in de ramen gezet, tegen de muggen, en bij kaarslicht voltrekt zich het schimmenspel van wat meneer Vaneenooghe het warme hart van elke verbintenis had genoemd, wanneer beide partners ook als wezens van vlees en bloed in elkaar voleinding vonden, *la différence qui entre la femme*, de bevestiging van het leven en de dood, wat volgens hem, en ik probeerde niet te veel aan zijn ringbaard te denken, even hemels was als aardbeien met opgeklopte room, onder een sneeuwstorm van poedersuiker.

Hij had ons na zijn betoog enigszins murw overgelaten aan Genesis, hoofdstuk twee, vers achttien tot vijfentwintig, was gaan zitten, had achter zijn bureau een hand in zijn broek geschoven en omstandig aan zijn kruis gekrabd.

Thuis regende het rekeningen die ze niet konden betalen. Avond na avond hingen ze boven facturen, wikten en wogen, kregen rimpels en telden uit, konden de goot niet herstellen en lieten iemand komen die iets van koelkasten wist maar niet veel geld vroeg, en er met schroevendraaiers en tangen in peuterde tot ze het weer deed, maar dan zo luid rammelde dat het straten ver te horen was.

Ik had de tanden op elkaar geklemd. Wat kon God de liefde verdommen? Hij spleet zeeën en verzengde steden, gooide legers als termieten tegen elkaar op, sloot weddenschappen af en dobbelde om het kleed van zijn eigen zoon. Onze zielen hield hij als diaplaatjes tegen het licht, verrukt om het patroon onzer zonden. Op Aswoensdag betekende hij met bevuilde duimen mijn voorhoofd, fluisterde dat ik een hoopje roet was, aangelengd met water, en na elke les, wanneer voor de anderen de speeltijd begon en ik het bord moest schoonmaken, sloeg Hij me als slechte adem in de neus. Ik keek uit over de verlaten banken, de boekentassen tegen de poten, de latten, stiften en pennen in de richels, hoorde het rumoer buiten op de speelplaats en was blij dat ik moest binnenblijven, ook al kon ik Willem niet zien. Ik maakte sponsen nat, dreef ze over het donkere groen van het bord, ging op mijn tenen staan, opende ramen en klopte bordvegers uit.

Als de wind in het westen zat, en dat zat hij altijd, woei de helft van het krijtstof weer naar binnen, maakte me even wit en korrelig als de kraters in de muren waar ooit lijsten moesten gehangen hebben die gevallen waren, weggehaald of met elastiekjes neergeschoten.

Ik kneep de ogen dicht. Het kroop onder mijn nagels, in mijn mondhoeken, het prikte in mijn ogen. Het verstopte mijn neus, jeukte in mijn hals en maakte mijn handen droog. Als ik aan mijn vingers likte proefde ik mezelf niet meer. Ik ben niets en niemand, dacht ik. Van nergens en overal. Eindelijk was ik één in wezen met de Vader.

9

Half december kwam de vorst. Hij kwam met de onweerstaanbare helderheid van een drogbeeld. Hij zette graszoden om in suikergoed, etste zeewier in het vensterglas en bezette op zolder de spanten met een witte stoppelbaard.

De dagen vroren ter plekke vast. Ze werden door messcherp zonlicht blootgelegd en rinkelden als karafjes in kristal.

Het was de omgekeerde zomer. Augustus in december, koud, zo bijtend koud dat 's avonds de lakens al mijn poriën telden, me dwongen stokstijf te blijven liggen en amper te ademen, tot ze zich aan mij hadden gewarmd. Als ik een arm verplaatste of een voet verlegde, schoof ik in een tel van Afrika naar de pool.

Er waren amper dekens genoeg. Drie, vier lagen er op ieder bed en nog rilden we; zo erg dat Roland niet eens protesteerde toen ik op een nacht met spreien en al naar zijn bed liep en zonder iets te vragen bij hem onder de lakens kroop.

Hij draaide zich op zijn zij om plaats te maken. Ik schurkte me tegen hem aan, zoog zijn warmte op als een spons, luisterde hoe hij weer in slaap verzonk en keek door het raam de kraakheldere, met lianen overwoekerde nacht in.

We rolden tegen elkaar in de ondiepte van het matras. Hij schoof een arm onder zijn kussen, mijn hoofd viel op zijn schouder, en ik werd zat van zijn lucht. Hij keerde zich om. We lagen rug aan rug. Zijn wervels schuurden over de mijne. We draaiden ons weer om. Schoven uit elkaar. Vielen als dobbelstenen in steeds andere combinaties terug. Rug-buik. Buik-rug. Buik-buik. We trokken de lakens over ons hoofd. Kwamen weer bloot te liggen, de kou beet in onze nek. We doken weer onder, de warmte in.

Ik hoorde hem knabbelen, met zijn lippen smakken, af en toe mompelen, en voelde zijn vingers zich openen en weer sluiten. Door zijn benen schokte af en toe een siddering. Zijn hoofd verhief zich soms met een ruk uit het kussen en viel weer terug. Zijn dromen moesten overzichtelijke afspiegelingen zijn van de wereld overdag. Krijtlijnen en doelpalen. Hij gaf voorzetten, kopte en scoorde.

De slaap viel in golven over me heen, trok weg, rolde weer aan en nam me mee naar dromen als warme zeeën onder pakijs. Wolkenvelden in het water. Witte tunnels waar een diffuus grijs licht hing. Het groen van algen. Een bijna tastbare stilte.

Ik droomde steeds minder over vertrouwde zaken, maar over hoogvlaktes bezaaid met keien, straten in onbekende steden, vierkante torens zonder ramen waarin machines dreunden, stalen poorten voor me openschoven en ik in zalen kwam met vitrines vol mineralen of opgezette vogels.

Er waren dromen waarin ik aan de tuintafel onder de beuk in dikke boeken zat te lezen en mezelf met een verrukking die de wanhoop evenaarde woorden, beelden, gedachtegangen van een ontzaglijke logica hoorde reciteren. Samenhangen, verklaringen zo helder, zo precies, dat ik onder het lezen voortdurend zat te denken: onthouden,

onthouden! Maar net dan leken de zinnen te verbrokkelen. Mijn stem begon te haperen. De woorden gleden steeds sneller onder mijn ogen voorbij, ze leken terwijl ik verwoed begon te bladeren in het papier te verzinken.

Ik werd wakker door gedaver van het matras. Roland lag helemaal op de rand van het bed en snakte naar adem alsof hij tien trappen tegelijk opliep.

Ik riep zijn naam en hoorde een verveelde zucht.

Hij stond op, sloeg een deken om zich heen en liep naar beneden.

Ik weet niet hoe lang hij weg bleef, een kwartier of een uur. Toen hij terugkeerde rook hij naar gras. Het zweet stond op zijn voorhoofd en zijn borst. Hij nestelde zich loom tegen me aan en dommelde meteen weer in.

De ochtend kwam met een sneeuwbal die open spatte tegen het raam en mijn vader, die buiten riep: 'Wakker worden, luiaards. Tijd om op te staan.'

We schoven in onze dekens als rupsen over de planken naar beneden. Mijn vader had boven de kranen afgesloten, met een zaklamp onder de vloeren naar de leidingen gezocht, die zich op de meest onvoorspelbare plaatsen vertakten, elkaar kruisten, in muren verdwenen en elders weer opdoken.

Beneden zong de ketel op de kachel. Uit de radio dreunde een vrouwenstem dat het land tijdelijk was afgeschaft, de koning verkouden, het spoor in zijn eigen wissels verstrikt, de havens in glas veranderd, het metrieke stelsel onbetrouwbaar en de Beurs een ramp. Er werden geen duiven gelost, alle wedstrijden waren afgelast, en de minister van onderwijs beval de sluiting van alle scholen omdat de verwarming onbetaalbaar was. De vakantie was met zeven dagen verlengd.

Ik werd gewichtloos van plezier. Een week langer vrij.

''t Is beestig koud buiten,' zei mijn vader toen hij binnenkwam en zijn handen warm wreef, maar het was zomer. De wind had een landschap van withete duinen over de akkers geblazen.

'Voor mij mag het een keer per jaar sneeuwen,' zei mijn moeder.

Ze was altijd goed gehumeurd als er sneeuw lag. De wereld had absolutie verkregen en voor zolang het duurde zijn zuiverheid herwonnen. Ik probeerde niet te denken aan de smurrie, straks, wanneer onherroepelijk de dooi zou komen en onze schoenen zouden beschimmelen.

We zaten zwijgend te eten toen de telefoon rinkelde

Mijn vader liep de gang in, kwam na een paar minuten terug en zei: ''t Is voor u.'

Ik legde mijn boterham in mijn bord en stond op.

Het was Willem.

'Ik heb zin om te schaatsen,' zei hij.

Zijn vader kwam hem brengen. Ik was opgelucht toen ik de wagen meteen weer hoorde wegrijden nadat hij bij de poort stil had gestaan.

Mijn moeder had eerst tegengesputterd, maar mijn vader had gezegd dat het zeker twintig centimeter dik lag. 'Schoon, klaar ijs,' had hij gezegd. 'Het beste. En Roland moet maar met die snaken meegaan.'

De wind had de sneeuw tegen de oevers op geblazen en

in het midden een kronkelend pad vrijgemaakt. We moesten alleen de dijk afdalen, het jaagpad oversteken en een plek zoeken waar we gemakkelijk de ijsvloer konden betreden.

We trokken Noorse sokken aan, dikke truien, wanten, petten met oorkleppen. Schaatsen waren er genoeg. Op de bodem van een wandkast in een van de kamers lagen verschillende paren door elkaar, sommige waren nog van hout en met de hand geslepen. Ze hadden een fraaie krul als uiteinde, maar waren zwaar door memel aangetast.

We stonden al onder de poort met een paar jutezakken onder onze armen om onze schoenen op uit te trekken, toen over de dijk iemand op een fiets kwam aangereden, voorzichtig, want het wegdek was spiegelglad, en aarzelend een arm opstak.

Een Arabier of een Lap, zo leek het. Iets met een tulband op en een pompon die op en neer ging. Het bleek Roswita te zijn.

'Ja,' mompelde Roland. 'Ik heb haar ook maar gevraagd.'

Ze had haar hofdames thuisgelaten. Ze zat al een tijd op een dure school in de stad en had zich daar wellicht met andere bewonderaarsters omringd. Naar de zangles kwam ze nog maar zelden, maar het voetbal miste ze nooit.

Er begonnen stadse woorden en zinnen binnen te sijpelen in haar dialect.

'Dat staat mij hier geen beetje aan,' zei ze soms, wanneer Meester Snellaert ons voor de zesde keer hetzelfde koraal liet herhalen.

Ze zei ook dat ze in de Latijnse zat, met een wuft pufje achter de t, ook al staken ze haar serieus tegen, al die ouwe

Romeinen. Als iemand haar een mop vertelde, lachte ze niet meer, zelfs niet gespeeld, maar ze zei: 'Ja Santé mijn ratje,' wat dat ook mocht betekenen.

Ze nam haar schaatsen uit de fietsmand. 'Het is wel lang geleden,' zei ze. 'Ik ben het waarschijnlijk al verleerd.'

'Geeft niet,' antwoordde Roland. ''k Zal u wel helpen.'

Hij had het ongeluk dat zijn stem af en toe nog oversloeg, vooral wanneer hij zoals nu zijn best deed om de stoere uit te hangen. Hij deed alsof hij zelf niets gehoord had, maar zijn wangen gaven hem bloot.

Ik zag dat Willem even geamuseerd was als ik. We hielden ons in, verkneukelden ons in stilte.

'Wie is die gast?' vroeg Roswita, terwijl Willem en Roland verderop zochten naar een plek waar minder sneeuw lag.

'Iemand van mijn klas. Zijn pa is architect.'

Ze had hem al uitgebreid gemonsterd, had ik gezien, hem waarschijnlijk te jong bevonden, te zwijgzaam of te onbereikbaar voor haar trucjes, maar dat 'architect' deed haar nog eens beter kijken.

'Studeert hij goed?'

'Nogal.'

De anderen stonden al op het ijs.

'Allez toe, jongens,' riep Roland. 'Als ik nog lang moet blijven staan, bevriest mijn pietje.'

Het was een van die typische opmerkingen wanneer hij verlegen was of zich ergens niet op zijn gemak voelde, en er dan dingen uitflapte die ik lomp vond, of onnozel, of allebei.

'Ge zoudt mij beter een hand geven,' riep Roswita terug.

'In plaats van het kieken uit te hangen.'

Ze bleef aan een rietstengel haperen en ik zag de naad in de gebreide broek die ze over haar beenwarmers had aangetrokken. Roland deed erg zijn best om de sneeuw uit haar plooirok te kloppen.

We lieten ze klooien.

De sneeuw slorpte alle gerucht op. De wegen lagen er verlaten bij. Achter ons hoorden we Roswita tegen Roland roepen dat hij niet zo snel mocht gaan. Ze deed zich banger voor dan ze was.

We gleden voorbij de pakhuizen, onder de brug door, waar het landschap nog open was zoals vroeger. Ik had het gevoel dat ik nu van alles moest vertellen. De anderen zaten gedurig te kleppen, in de refter, de klas, op de speelplaats, 's avonds op de markt. Over stickers. Over auto's. Over die blonde of die andere, met haar vlechten, wel spijtig dat ze zoveel sproeten heeft.

Het had me nooit kunnen boeien, en hem ook niet. Hij had boeken over eenden. De jungle in Brazilië. Anaconda's. De Everest. Ik had hem kunnen vertellen over IJsland, Kind van het Vuur, maar ik had het nog altijd niet gelezen. Over de eerste keer dat ik naar zee ging en volgens mijn moeder, ik kon me er zelf niets van herinneren, zo vergruwd was van al dat zand dat ik de hele dag had gekrijst. De tweede keer was ik zwaar ontgoocheld geweest omdat ik nergens Amerika zag, terwijl in mijn atlas alle continenten zo knus dicht bij elkaar leken te liggen. Ik kon hem vertellen dat ik me soms afvroeg of het zonnestelsel een atoom was. Het leek me best mogelijk. De vraag had me altijd meer kunnen boeien dan de toverformules van Newton, die pater Buyl ons vanachter zijn lenzen en spiegels als droge koekjes liet doorslikken.

Ik had er lang over nagedacht. De mogelijkheid dat ikzelf uit ontelbare zonnestelsels bestond, met ergens een planeet als de onze, en op een van zijn continenten iemand als ik, maar dan wel gelukkiger hoopte ik, zeker als er geen scholen bestonden, had me nog meer doen twijfelen aan de agenda van God.

'Het is hier mooi,' zei Willem.

Ik keek op. Mooi was het woord niet voor de wereld die me vanaf de wieg omsloten had. Als ik de poort uitkwam, overviel me steevast een gevoel van verlatenheid. Het kwam niet alleen door de magazijnen die 's zomers hun gevels in rimpelingen over het water drapeerden en mijn herinneringen bedekten als een hinderlijke inktvlek. Het lag ook niet aan het teveel aan hemel, aan de overkant van het kanaal, waar geen bomenrijen stonden. Sinds ik elders op school zat leek ik soms met een omgekeerde verrekijker op mijn omgeving neer te kijken, en op andere dagen door een microscoop. Ik zag er de benepenheid van, de algehele verlorenheid, en voelde me beurtelings bekneld en thuisloos.

'Het komt door de sneeuw,' zei ik.

Hij was het er niet mee eens. Het lag aan de heuvel, zei hij, waarop Zomergem lag. Dat maakte het uitzicht interessant. We bevonden ons op het diepste punt van Zandig Vlaanderen. Hij had een boek over de streek.

Er klonk gegil achter ons. Iets kwam onzacht in een rietkraag terecht en Roswita kafferde Roland uit. Hij werd overmoedig.

'We keren best terug,' zei ik. 'Dan kunnen we de andere kant eens doen.' We waren al ver van huis en in de verte zag ik gestalten van andere schaatsers. Ik wilde het liefst alleen zijn.

Hij liet zich uitbollen. Ik was een beter schaatser. Hij wankelde vaak, niet aan zijn eigen lengte gewend.

Er viel een tijd niets te horen dan het geknars van de ijzers en Roland, die om Roswita heen cirkelde, haar voor zich uit duwde, losliet, een aanloop nam en haar nog een duw gaf.

Ze gilde.

Hij legde zijn handen op haar heupen en remde af.

Ze stonden samen te smiezen, wierpen af en toe een blik op ons.

Toen greep hij haar hand en trok haar mee. 'We gaan naar Brugge,' hoorde ik hem roepen.

Ze smeekte hem om trager te gaan.

Hij luisterde niet.

'Ze gaan vallen,' zei Willem.

Ze vielen. Het was Roswita die eerst haar evenwicht verloor, struikelde, met haar armen wiekte en in haar val naar zijn truitje greep, waardoor zijn voet wegschoot en hij met een klap op zijn zijkant viel.

De ijsvloer kreunde. Ik voelde hem onder mijn voeten sidderen. Er schoten barsten tot bij de oever. Toen was het stil.

Roland stond op en wreef beteuterd met zijn arm over zijn schouder. Roswita was ergens in een sneeuwberg beland. Ze wilde niet dat hij haar hielp.

'Ik kan het zelf wel. Ik wil naar huis.'

'Het spijt me, zoetje,' hoorde ik hem zeggen. 'Ik zal wel met u meegaan.'

In de vooravond trok de hemel weer dicht. De zon hing als een vaal oranje bol in het westen en de wind wakkerde aan.

Mijn moeder had cacao gemaakt, met krentenbrood. Het begon al te donkeren en Roland was nog niet terug. Ze maakte zich zorgen.

'Hij is oud en wijs genoeg,' zei mijn vader. 'Hij loopt niet in zeven grachten tegelijk.'

'Hebt ge genoeg, jongen?' vroeg hij aan Willem.

'Meer dan, dank u wel.'

'Komen ze u halen van thuis?'

'Rond een uur of zeven.'

Mijn moeder keek tersluiks op haar polshorloge. 'Allez, waar blijft dat jong?'

Hij arriveerde rond achten.

'Ik ben wat blijven hangen,' mompelde hij. 'En we hebben moeten schuilen.'

Hij zag lijkwit en liep te trillen op zijn benen.

'Hebt ge een spook tegengekomen, misschien?' vroeg mijn vader. 'Zo bleek dat ge ziet…'

Roland ging aan tafel zitten.

'Nee,' zei hij. 'Veel erger.'

Mijn vader schoot in de lach.

Een kwartier of wat later was er telefoon. Mijn vader nam op.

'De onze heeft ook de geest gegeven,' hoorde ik hem zeggen. 'De anti-gèle is niet straf genoeg voor zulk weer…'
'Nee, dat geeft niet…' 'We lossen het wel op…' 'Geen pro-

bleem. Ik zal hem een keer roepen...'

'Het is uw pa,' zei hij tegen Willem. 'Ze staan in panne. Moeder, we hebben een logé vanavond.'

''t Is te hopen dat ik gerief genoeg heb,' was haar antwoord.

Na het eten ging Roland meteen naar boven. Mijn vader bleef lang natafelen en vertelde. Hij deed het zelden, en als hij het deed, dan altijd in flarden. Hij wilde de volheid van voorbije zomers vatten, ze gleden door zijn vingers. Ik kon de kruinen van de boomgaard, al jaren omgehakt, over zijn netvlies zien glijden, en de tuin, nog in zijn volle glorie. Zo uitgestrekt dat zijn moeder in de zomervakanties haar kroost met een picknickmand kwam verrassen, toen het nog mogelijk was om binnen de hagen wereldreizen te maken.

Mijn moeder kwam erbij zitten. 'Ik heb een tafelkleed als onderlaken moeten gebruiken,' zei ze. ''t Is niet ideaal, maar er staan wel schone bloemekes op.'

'In het donker voel ik toch het verschil niet,' antwoordde Willem.

Ik hoopte dat ze niet over mij zou beginnen. Ze kon van die momenten hebben dat ze over mij begon. Hoe ze mij twee weken had proberen te zogen, maar ermee moest stoppen omdat ik haar uitslag bezorgde, zodat ik meer bloed dan melk binnenkreeg. De sfeer was er goed voor, vreesde ik. Ze had een bodem jenever op en de kachel suisde.

'Hij zat nergens liever dan op zijn pot,' zei ze tegen Willem.

Daar had je het al.

'Hij kon zich daar heelder uren op amuseren. Als hij lastig was, moest ik maar een ding doen: hem op zijn pot zetten. Nu nog, eigenlijk…' Ze giechelde.

'Ma!'

''t Is toch waar? Met de gazet op de wc. Juist gelijk uw pa, gij…'

'Ik doe dat ook soms,' zei Willem vergoelijkend.

Hij zag dat ik me voor haar schaamde. 'Ik denk dat ik er maar eens in kruip,' zei hij.

'Anton zal u de weg wel tonen.'

Mijn moeder had een van de oude logeerkamers klaargemaakt. Het moest jaren geleden zijn dat er nog iemand geslapen had. Het rook er niet te fris en het was er bitter koud. Ze had een oude slaapzak als extra deken gebruikt.

Willem stak zijn handen in zijn zakken. Ik zag hem rillen.

''t Is hier allemaal nogal krakkemikkig,' zei ik verontschuldigend.

'Valt wel mee.'

'Als ge 't te koud hebt, moet ge 't maar zeggen. Ge kunt altijd een trui van mij krijgen.'

'Ik zie wel.'

'Slaapwel,' zei ik.

'Slaapwel.'

In de badkamer trof ik Roland. Hij stond in de spiegel intens de binnenkant van zijn onderlip te bestuderen.

'Hebt ge u zeer gedaan?'

'Nee, nee,' zei hij haastig, ''k heb op mijn tong gebeten, 't is al.'

Ik begon mijn tanden te poetsen.

Hij hield zijn hoofd onder de kraan en wreef zich droog.

'Bon, tot morgen.'

'Tot morgen.'

Iedereen was naar boven. Alle lichten waren uit. De kachel gloeide nog na. Ik ging in het donker in de zetel zitten.

Ik had geen slaap, nooit wanneer het sneeuwde. Een overblijfsel van toen ik nog klein was, weken op sneeuw kon wachten, en als ze dan eindelijk kwam 's nachts uit mijn bed gleed om naar het raam te lopen en te kijken of in het licht van de straatlantaarn op de dijk nog altijd vlokken vielen.

De wind bonkte tegen de muren. De takken van de beuk tikten tegen de vensterluiken. Ik proefde iets van de behaaglijkheid van vroeger, wanneer het stormde en ik vocht tegen de slaap, om me de hele nacht veilig te kunnen voelen.

Er kwam iemand de trap af. Ik hoorde blote voeten op de treden.

'Anton?'

'Hier,' zei ik.

'Ik vond u nergens.'

Hij sprong van zijn ene been op het andere. 'Waar is hier het toilet?'

'Sorry,' zei ik. 'De gang door, naar rechts, tweede deur.'

Hij pletste over de vloertegels weg.

Nog een dag of zes en ik zou weer in verveling verzinken. De gedachte verlamde me. Het vooruitzicht weer de fiets op te moeten, lesuren, leraren, controles, blikken, vernederingen te doorstaan, kon soms al van 's zaterdags mijn humeur bederven. Ik was niet bedoeld voor de school, of de school niet voor mij. Ik bestond niet. Ik was een mormel in goedkope kleren, op de groei gekocht, en ik werd gedoogd omdat ik me wist te gedragen, me zonder protest de lessen als dwangvoeding door de strot liet rammen en ze keurig weer ophoestte, maar in wezen vertrouwden ze me even weinig als ik hen, en er stonden geen milde schenkingen van mijn vader tegenover.

Ik zag zijn kruiswoordraadsel op tafel liggen, mijn moeders magazine van de vrouwenbond met gratis breipatronen, de opengemaakte enveloppen achter de klok op de schouw, en voelde rond mij het huis, vervallen, oud, leger dan het ooit was geweest.

De wind leek de fundamenten uit te graven en de muren op te tillen. De gedachte luchtte me op. Kon ik maar weggeblazen worden, als een zoekgeraakte brief over de velden dwarrelen en straks, wanneer de dooi intrad, mijn warrige zinnen en onbegrijpelijke woorden in het smeltwater laten uitlopen. Ik moest denken aan de dag dat we in de klas weer eens een formulier moesten invullen en ik naast het woord 'geboren' 'ja' had ingevuld, waarna meneer Vaneenooghe me strafwerk had gegeven, terwijl het me toch logisch leek.

Ik hoorde een deur achter me opengaan en weer dichtvallen.

'Je zit weer te kniezen,' zei Willem.

Hij leunde achter me op de zetel.

'Ik weet het. Ik ben soms moeilijk.'

'Wie niet?'

Ik zweeg.

'Kom. We gaan slapen.'

Ik bleef zitten.

Hij schoof zijn handen onder mijn kraag en boog voor-over.

III

I

Parijs. Soissons. Senlis. Zomer 197*, de laatste schoolreis voor we ons diploma haalden en naar de universiteit zouden gaan. Spitsbogen, triforia, triptieken. Willem die geregeld onverwacht voor de lens sprong en 'Boe' riep. Zogenaamd verbolgen om zijn kinderachtigheid liep ik hem voorbij, achter de gids aan. Ik ging geschiedenis studeren en wilde niets missen. Hij verveelde zich kapot, ging in lege nissen tussen stenen profeten staan en imiteerde martelaren of gewijde maagden. Niet één keer heb ik afgedrukt.

Bijna negentien. Als ik mezelf voor de geest wil halen zoals ik toen was, met mijn haar dat ik nog halflang droeg, mijn voorliefde voor lange witte hemden, lang genoeg om ze als halve jurken om me heen te voelen wapperen, en dan op polaroids van feestjes of uitjes dat lange magere lichaam zie, waarin verliefdheden als spiegels braken, mijn schouders, altijd opgetrokken, defensief, en Willem die lacherig tegen me aanleunt, een vinger uitsteekt naar de lens, of in het verstilde gerinkel van de armbanden en halskettinkjes waarop hij toen zo dol was, rare snoeten trekt, wat zie ik dan? Wie is dat daar?

Hij had een zoon van me kunnen zijn, als hij niet een van de jaarringen was, vergroeid in mezelf met wat zo homogeen 'vroeger' heet en nog dag na dag aandikt. Ik merk hoe ik soms op hem neerkijk met het melancholische genoegen van een vader die het nog ondiepe plezier van zijn kroost gadeslaat. Of moet ik juist zeggen: het nog bodemloze jolijt waarin we voor altijd menen te zwemmen, terwijl de tijd ons ongemerkt met zijn bezinksel dempt?

Je kan aan zijn ogen zien waar zich later de eerste groeven zullen leggen. In zijn glimlach, breed en hoekig, hij lijkt zijn aangezicht haast open te scheuren, ligt al iets van de droefenis die hem later als een boemerang in de nek zal slaan wanneer hij zichzelf hoort schateren en dan denkt: Hoor mij. Ik amuseer me. Het leven doet me goed.

Die blijkbaar onvermijdelijke voetnoot van verdriet, die met de jaren hardnekkiger achter elke vreugde aanholt, soms dicht op de hielen, soms op enige afstand, waar komt ze vandaan? De schouderklop van de doden misschien, die ik vroeger in al mijn onbesuisdheid nooit heb gevoeld. Hun met zwarte zakdoekjes wuivende gestalten, daar, ver aan de horizon, tekenen zich steeds scherper af tegen de lucht.

Misschien heeft het te maken met het gevoel dat ik hoe dan ook doden bezie. Niet alleen die onwezenlijke gewaarwording van leegte wanneer ik al bladerend mezelf terugvind op een of ander feestje, druk in gesprek met iemand die nog slechts beeltenis is. Maar ook als ik mezelf bekijk, met een glas halverwege tussen de tafel en mijn mond. Of hier, op een bank ergens in een park, terwijl ik in tenger voorjaarslicht opkijk naar wie toen bij me was.

Wie weet was het Willem niet die die foto maakte. Hij vertoont alleszins die elegant uitgemeten kadrering, die als vanzelf uit zijn vingers leek te vloeien. En ook dat vogelperspectief, dat deed hij wel vaker. Mijn hoofd lijkt met die brede lach op het binnenste van een bloem, met daaronder als een smalle stengel mijn romp.

Roland kan het onmogelijk geweest zijn. Die was haast nooit met fototoestellen in de weer, en als hij het al deed, dan slaagde hij er niet zelden in hele bruidspartijtjes te onthoofden. Een keer heeft hij me overlangs in tweeën gekiekt terwijl ik tegen een boom poseerde.

Hij was twee jaar voor ons van de school af. Niet met de meest briljante resultaten, maar toch behoorlijk. Hij zou verdergaan in de handel. In de jaren nadien rolde hij van het ene rare zaakje in het andere: Perzische vloerkleden, babykleertjes, bubbelbaden, onderdelen van granaten. Hij kreeg de politie op zijn dak, had geregeld hommeles met inspecties, maar wist altijd overeind te blijven.

Er moeten nog albums zijn waarin hij rondhangt met die ietwat louche grijns van hem. Een mannetjesputter met brede kaken, een kortgeschoren kop. Op de dag dat zijn moeder naar huis kwam, leunt hij met beide handen op de rug van haar stoel. Omringd door familie die plichtmatig besloten heeft verheugd te zijn, blikt ze wazig van de pillen neer op het enorme stuk taart op haar bord, alsof ze ertegen opziet het helemaal te moeten behappen. Roland staat achter haar, buigt wat voorover en lijkt haar te beschermen als een dak, maar kijkt tegelijk op met ogen die schijnen te zeggen: 'Ja, dat is mijn moeder. Uit die klomp ellende kom ik voort. Arme lieve sullige mama. Mijn stormen heb ik gelukkig in de hand, en straks is er de erfenis.'

De tip van zijn das, hij droeg als zelfverklaard zakengenie altijd pakken in die tijd, valt over haar ene schouder en geeft die foto puur toevallig iets intiems.

De zeldzame keren dat hij mijn ouders bezocht als ik er

toevallig ook was, en ik hem dochtertjes uit de auto zag hijsen, kinderwagens uit de laadbak, tassen met luiers en flesjes, trok er altijd een vage teleurstelling door me heen. Hij bouwde uiteindelijk een in alle opzichten goed geïsoleerd huis in een van de nieuwe woonwijken die zich overal te lande op de oude dorpen enten. Wind speelt er lusteloos in de acacia's en verdeelt over de gazons een gelaten soort geluk dat zich achter rotanschuttingen verschanst en bang lijkt om zich te bezeren.

Ik hou er niet van onverwacht oog in oog met mezelf te staan op die foto's, waar ik wat ineengedoken zit te kletsen met zijn vriendinnetje van het ogenblik. Een Lydia of Natalie. Hoogblond of donker. Verlegen of kleppend als een wekker waarvan je de knop niet kan vinden. Hij bracht wel vaker zijn liefjes mee om bij ons te overnachten. Het was er makkelijker wippen, veronderstel ik, dan in die sombere villa van zijn ouders waarmee hij zijn schattebouten wel kon imponeren, maar waar de hele nacht een half slapende, half wakkere moeder als een gedrogeerde berin door de gangen sjokte en om halfdrie 's ochtends het vlees in de oven gooide.

De stekende pijn bij het aanhoren van zijn genot, het mes dat bij elke wending van zijn lijf iedere keer weer in de wonde werd omgedraaid, geen beeld houdt het vast. Hij leefde. Tot in zijn kleinste vezels. Met behulp van alle klieren. Hij was een stel samengeballe oppervlakten; darmen, aders, longen, onder het buitenste oppervlak van zijn huid. Hij ademde het bestaan werktuiglijk in en blies het weer uit. Hij zoop het leeg en boerde. Het leven glipte niet met elke seconde pijnlijk door zijn vingers.

Het lichaam voert stilzwijgend zijn agenda uit, het duldt geen tegenspraak. Het groeit, het trekt kamers voor je op die je hebt te bewonen met de meubels die het biedt. Was hij schrieler geweest, hij speelde piano, hield van Liszt en verbeet bij het *Lacrimosa* zijn tranen. Was ik gespierd, dan had ik lijsters uit de kerselaar geschoten en ze de nek omgewrongen, zomaar, zonder te verpinken, voor mijn eigen plezier.

Ik herinner me de dag dat hij een nest kattenjongen had ontdekt, enkele weken oud. Ze waren een pest in de leegstaande stallen. Hij had ze een voor een met een grove beitel de kop ingeslagen. Ik had me omgedraaid om niet te hoeven braken. Toen alles voorbij was had hij met bebloede handen op de slachting van gespleten schedels en uitpuilende ogen neergekeken, zonder enig mededogen, eerder met interesse, alsof hij zich keer op keer wilde inprenten hoe weinig de dood om het lijf heeft.

Ooit had hij in de boomgaard een houtsnip gevonden. Het beest moest tegen een prikkeldraad te pletter gevlogen zijn. Een hele woensdagmiddag had hij in de kelders en voorraadkamers naar een geschikte fles gezocht, en daarna naar een kurk die de hals goed afsloot. Hij had de fles met zand gevuld, een touw rond de hals geknoopt en het andere uiteinde rond de poten van de vogel gestrikt, en was toen naar de brug gelopen.

Daar had hij zich over de reling gebogen en al saluerend het dier in het kanaal laten vallen.

Met een voldoening die me koude rillingen gaf bleef hij nog dagen nadien herhalen: 'Die is waarschijnlijk al goed aan het rotten. Als er geen ratten aan knagen.'

Hoe ouder de foto's, hoe onbekender wie erop figureert, des te vertrouwder ze vreemd genoeg op me overkomen. De albums van tante Odette, ze hield de eerste bij nog voor mijn vader geboren was, nemen me op in het gestolde rumoer van lang voorbije samenkomsten. Wie er werd gevierd of betreurd, onder dezelfde takken van de beukenboom waar mijn vader vroeger de tafel uitklapte, veel maakt het niet uit. Hetzelfde plezier, dezelfde rouw waart door altijd andere gestalten. Jubilea of begrafenissen, of de binnentuin met vaandels is behangen dan wel met zwarte doeken, over het gazon deint de beschaafde rust die bij al heel lang dood zijn hoort.

Gedroogde edelweiss. Besneeuwde toppen. Tante Odette in een lange jurk bij het meer van Genève, blakend van verwachtingen die nog moesten verzuren. In Keulen, bij de Dom, op de trappen van de Sankt Gereon, nog ongehavend door de oorlog, draagt ze haar jasje over haar arm. De schaduw van haar hoedje bedekt haar ogen.

De torens van Praag, duizend keer schoner dan Wien, vanaf de Karelsbrug. De boorden van de Moldau. Unter den Linden. Champs Elysées. Tante lijkt gelukkig, maar staat daar, op de stoep van een hotel, alsof ze wacht op iemand die haar zijn arm zal aanbieden. De auto's waar ze in- of uitstapt zijn vriendelijk glimmende kevers. De tijd lijkt er anders geordend, met minuten die evengoed minuten zijn, maar schijnbaar minder gehaast. Iedereen op die drukke boulevards lijkt niet bepaald ergens vandaan, ergens heen te flaneren. Ze moet zich in een zee van tijd hebben gewaand, op het dek van een koninklijk stoomschip, geen zandbank of ijsberg in zicht.

Hier heeft ze postgevat naast de open voordeur, terwijl in het deurgat, zonder dat ze iets doorheeft, Flora en Alice arm in arm naar buiten kijken, hun wangen opblazen en hun tong laten zien. Een beeld later zie je haar verwarring als ze de grappenmakers ontdekt. Op een derde plaatje staan ze met hun drieën pront naast elkaar, zoals hoorde in een tijd toen je nooit zomaar foto's nam. Toch houden ze alledrie hun lach in.

Op die laatste foto, genomen op de kloostertrap, de dag dat de diploma's werden uitgereikt, is het niet zo zonnig als toen mijn vader er poseerde. Willem en ik staan er kamerbreed te grinniken.

Onze kragen jeukten in onze hals. Mijn das leek me langzaam te wurgen. Tijdens de ceremonie speelde in de refter een strijkje. Pater directeur was dusdanig verguld dat hij als een moddervet pimpelmeesje op het podium rondfladderde en bijna in de coulissen te pletter vloog van trots.

De een ging wiskunde studeren, de ander economie. De pater prutste verrukt aan het revers van zijn jasje, niet zonder opluchting, vermoed ik, dat niemand de goede naam van de school in gevaar had gebracht.

Meneer Bouillie wilde opeens met iedereen die zin had een glas drinken in het Christelijk Volkshuis op de markt, om als mannen onder elkaar te keuvelen. Willem en ik gingen niet mee. We waren onmiddellijk na afloop van de plechtigheid op de fiets gesprongen en het bos in gereden. Ei zo na hadden we uit pure baldadigheid ons diploma in de sloot gegooid. Alle ballast moest van ons af.

Juni tilde ons op. De lente liet haar streken varen. Op de gazons van de rijken tikten sproeiers hun rondjes. Luid juichend zwenkte Willem van de ene kant van de weg naar de andere en poogde me in de berm te rijden.

Van ons beiden was ik de plichtbewuste. Degene die braaf op kruispunten halt hield, zelden het rode licht negeerde en bij een afslag altijd de juiste arm uitstak, nooit de verkeerde.

'Geslaagd?' riep zijn moeder vanuit de garage toen ze ons hoorde binnenkomen.

'Geslaagd!' riepen we allebei terug.

Er volgden klapzoenen. Katrien kwam even naar beneden, wat nukkig omdat ze 's avonds nog examen piano had. Toonladders slingerden zich als boa's rond onze schouders.

Op het terras, onder de parasol, ontkurkte Willems vader champagne en hief het glas.

'Op ons diploma,' riep Willem. 'De vrijheid!'

'En op de toekomst,' zei zijn vader.

Geschiedenis vonden ze een interessante keuze, maar dat Willem geneeskunde zou volgen, vervulde hen zichtbaar van trots.

'Dan raak ik misschien toch van die zere schouder af,' grapte zijn moeder.

'Dat kan alleen maar kanker zijn,' lachte Willem. 'Je bent waarschijnlijk terminaal.'

Roezig van de drank gaf ze hem klapjes en liep toen de keuken in om het ribstuk te keren.

We gingen samen in Gent een kamer zoeken. Samen en

ook weer niet. Willem vond dat we elkaar te veel zouden af-
leiden als we ergens een studentenflat deelden. Ik had eerst
gemokt en hem dan gelijk gegeven.

Ik vond een onderkomen in een oud herenhuis, aan de
oever van de Schelde vlak bij de universiteit. De beneden-
verdieping, een neobarokke pronkkast vol zwaarmoedige
fauteuils, werd bewoond door juffrouw Lachaert, een be-
jaarde hospita die uit samengeveegd stof leek te bestaan,
bijeengehouden door een vilten schortje.

Ze wiebelde in haar gewatteerde pantoffels een paar
maal om me heen, zette een knoert van een bril op haar
neus en keek me aan alsof mijn hele leven in bondige ali-
nea's op mijn voorhoofd te lezen stond.

'Geen bezoek na tien uur 's avonds,' zei ze tenslotte. 'En
een keer met vrouwvolk boven is buiten.'

'Ach, mevrouw,' had Willem met een uitgestreken gezicht geantwoord. 'Voor meisjes is hij veel te serieus.'

We kregen een sleutel mee. Op de derde, tweede deur
links had ze gezegd.

De kamer was aan de benepen kant, een oud bedienden-
hokje. Het behang had de strepen van een ouderwetse py-
jama en het kon er bloedheet worden, dat rook je. Maar het
beviel me. Het raam keek uit op de toren van het belfort,
waaruit om het kwartier beiaardklanken buitelden.

Er was een badkamer en een smalle keuken die ik moest
delen met de enige andere huurder, een jongen met vet haar
die als Simpson tussen twee zuilen van leerstof op zijn
scheikunde zat te zwoegen en amper opkeek om gedag
te zeggen. Zijn kamer had iets van een ondergronds holletje, waarin hij permanent winterslaap leek te houden.

Veel last zou hij me niet berokkenen.

'Ziedaar ons koninkrijk,' had Willem gezegd.

'Kunt ge 'rmee leven?' piepte achter ons een stem. Het was de hospita. Ze moest op haar geruisloze toffels achter ons aan zijn geslopen.

'Prima!' stamelde ik. 'Perfect zelfs.'

Ze knierde tergend op haar gemak de trap af en liet ons uit.

Willem vond een kamer in een modern studentenhuis op een druk kruispunt. Ik had het er geen halfuur uitgehouden. Het interieur was standaard uitgevoerd in wit formica. Onder twee ramen zoefde onophoudelijk het verkeer. Maar het bood uitzicht op het ziekenhuis. Vanaf zijn schrijftafel kon hij de paviljoenen zien, de drukte van parkerende bezoekers, grasveldjes waarop verpleegsters of studenten in hun middagpauze de benen strekten en hun schoenen uittrokken.

Hij vertrok kort daarop voor een maand naar zee, om te klussen bij een tante die een bakkerijtje had. Ik bezocht hem op een van zijn weinige vrije dagen. We liepen langs de vloedlijn, rolden duinen af en bouwden kinderlijk zandkastelen.

Op de mansarde boven de werkplaats waar zijn smalle brits stond, schoof hij voor me op en krulde zijn knokig lichaam rond het mijne. In het gewoel dat volgde omdat ik me geprikt had aan een van zijn oorbellen, hij mocht van tante die rommel niet dragen in de winkel, donderden we uit bed. We hielden de adem in. Op de doffe bonk volgde slechts stilte. Tante bleek een vaste slaper.

Eind juli moest hij met zijn pa en ma mee op reis naar Italië. 'Palazzo's bekijken,' had hij met opgetrokken neus gezegd. Zijn vader was het type toerist voor wie wereldsteden levensgrote illustraties van reisgidsen zijn.

Er kwam een kaartje uit Verona. Hij schreef dat het er heet was, hij me miste, dat de pasta hem stilaan de keel uithing. We zouden elkaar terugzien begin september, wanneer er te Ruizele kermis was.

2

De rest van de zomer ging op aan inpakken, mondjesmaat verhuizen en in het ijle hangen. Rond ons hing de lucht van karton. Overal in de kamers stonden dozen als sarcofagen opgetast.

Mijn vader ging naar de zestig toe, hij kon vervroegd met pensioen. Ik denk dat hij opgelucht was het verval van zijn ouderlijk nest niet langer te hoeven aanzien, ook al moest ons nieuwe huis, in een sociale woonwijk, met een voorgevel die het spiegelbeeld was van de gevels aan de overkant van de straat, hem net als mij heimelijk ontgoochelen.

Eind augustus trouwde Roswita. Ik besteeg het doksaal om nog een keer mee te zingen in het koor. Als een nevelsliert van wilde zijde, kant en voile schreed ze onder ons door naar het altaar, waar een bleek uitziende jongeman met een enorme strik onder zijn kin haar tussen fonteinen van lelies opwachtte.

Op de receptie nadien, in de tuin van haar vader onder de markiesjes, kwam ze naar me toe en vroeg hoe het met me ging.

'Goed,' zei ik. 'Erg goed zelfs.'

We keken allebei om ons heen naar de deinende hoeden van de dames, de jurken, de obers die op het terras de kreeften schikten.

'Geschiedenis,' zei ze met iets van ontzag nadat ze me gevraagd had of ik verder zou studeren. 'Niets voor mij.

Studeren heeft me nooit gelegen. Ik heb daar geen zittend gat voor.' Ze glimlachte verontschuldigend.

Haar bruidegom kwam even bij ons staan, vroeg met wie hij de eer had, kuste haar, nu de drank zijn zenuwen begon te kalmeren, vluchtig achter haar oor en ging weer weg.

'En met Roland?' vroeg ze.

'Lang geleden dat ik hem nog gezien hebt. Hij werkt, en zijn moeder is weer thuis.'

Ze knikte, blikte in haar glas. We voelden ons nog altijd onwennig bij elkaar. Ik sloeg haar gade terwijl ze in het rond keek en hier en daar naar een bekende zwaaide, en vroeg me af of de wereld nu voor haar openging of geruststellend rond haar dichtviel.

Op het gazon lagen alle stadia van haar toekomst aan haar voeten uitgestald. Spelende kinderen. Baby's die hun papje op hadden en gelukzalig boerden op de schouder van hun moeder. Pubers zaten zich ongestraft te bezatten. Daartussen gezette heren, dames op leeftijd bezet met juwelen, en vuurrood van de vakantie in Spanje.

Over veertig, vijftig jaar zou ze als die tantes of oma's daar in de schaduw van een den zitten kletsen, nog niet helemaal bekomen van haar eerste prothese op krukken haar kleinkinderen aaien, en hoeden dragen die het verlies aan fysieke gratie moesten compenseren.

Ik zond haar een onnozel lachje en zei dat de champagne lekker was.

Ze trok haar schouders op. 'Ge kent mijn pa. Het moet altijd van alles het beste zijn.'

Ik zag hem achter haar rug op haar toe komen stappen en haar wenken zonder dat ze het zag. Ik schaamde me, maar onwillekeurig vroeg ik me af hoeveel van de jongens van de club, die daar onder het bordes dronken 'Leve leve de liefde' bralden, in het donker van de kasteeldreef tegen haar op hadden gekreund. Ik duwde de gedachte weg.

'Uw vader heeft u nodig,' zei ik, vlak voor hij haar bij de arm nam.

Ze draaide zich om. Wuifde. 'Tot later misschien.'

'Tot later,' zei ik. 'Het beste.'

Ik was van plan die nacht nog thuis te slapen, dan naar Gent te trekken om er mijn kamer in te richten en pas terug te keren als de verhuis achter de rug was.

Ik pakte soepkommen in, bestek, enkele kopjes, en stapelde ze in een doos.

Boven barstten af en toe woordenwisselingen los.

'Maar pa toch, we kunnen niet alles houden,' riep mijn moeder en ik hoorde mijn vader verongelijkt vloeken.

De kamer waar de meubels stonden die de opkoper zou komen halen, vulde zich langzaam met hartzeer. De kasten, commodes en tafels leken lijdzaam te wachten op het onafwendbare.

De avond viel, de kerende wind verkoelde het huis, dat hoorbaar kromp. In de takken van de beuk landde de zwerm spreeuwen die ieder jaar aan het eind van de zomer de boom in een grote muziekdoos veranderde, waaraan voortdurend gesjirp en gefluit ontsnapte. In het maanlicht zag ik de vogels in dichte drommen tussen het lover hun veren oppoetsen en ruziën om de beste plaats. Af en toe maakte een troep zich geruisloos los uit de kruin en landde met een zacht getik in de dakgoot. Tegen de ochtend barstte het concert weer los en bij de eerste zonnestraal steeg de hele zwerm met veel gedruis op.

Ik reed met de wagen van mijn vader naar Gent, de achterbank vol spullen voor mijn kamer. Ik schroefde boekenplanken in de muur, pakte mijn tafellamp uit, liet stapels lege vellen in de lade van mijn werktafel vallen en genoot. Ik had het raam geopend. Op de binnenkoer van een aanpalend pand zat een meisje in een vervallen serre te pottenbakken met een sigaret in haar mond en de radio keihard aan. Duiven zeilden om het belfort. Op straat tingelden trams voorbij.

Het knaagdiertje kwam 's nachts uit zijn holletje gekropen en scharrelde rond in de keuken, ik hoorde een ketel zieden. Wat later sloop hij, waarschijnlijk met een mok hete koffie in zijn pootjes, naar zijn kamer terug.

De ochtend daarop ging ik de stad in, slenterde door de winkelstraten en kocht dingen die ik eigenlijk niet nodig had. Een stalen pepermolen met een zwengel. Op de vlooienmarkt een kleine scheerspiegel en nog wat kopjes. Er hing een nazomerse landerigheid in de straten. Het licht was al dat van september, schuins en verkoperd, waarin alles wat zich uitbundig aan de zomer had bezopen onderuit zakte en zijn roes uitsliep.

Ik liep langs de faculteit om de sfeer op te snuiven. Bij de kantoren van de professoren zaten jongens op bankjes nog snel in hun cursus te bladeren. De platanen bij de ingang lieten hun eerste lover gaan.

Ik keerde terug en was al bijna boven aan de trap toen in het duister van de hal een deur openging en ik de hospita over de vloer hoorde sloffen.

'Ik heb telefoon gekregen van thuis,' riep ze me na. 'Of ge direct kunt terugbellen.'

Ik liet mijn spullen achter op de trap en wilde naar buiten lopen om vanuit een cel te bellen, maar juffrouw Lachaert trok de deur van haar beste kamer voor me open en wees naar de telefoon, die potsierlijk op een zuiltje naast de schouw stond.

Ik nam de hoorn van de haak en draaide het nummer van thuis. Ik kreeg mijn vader aan de lijn.

'Slecht nieuws,' zei hij.

Zijn woorden leken niet tot me door te dringen. Juffrouw Lachaert drentelde om me heen, wapperde met een plumeau over lijsten en postuurtjes en deed haar best om niet al te opzichtig te luistervinken.

'Ik moet ernaartoe,' zei ik tegen mijn vader.

Op de achtergrond hoorde ik mijn moeder roepen: 'Hij kan toch niet in zijn vuile kleren bij die mensen gaan. Pa, zeg het hem.'

'Ik kom daarna wel naar huis.' Ik gooide de hoorn erop voor hij kon antwoorden.

Op de kiosk op de markt van Ruizele speelde een fanfare nummers van Glen Miller en er was avondmarkt. Een agent leidde het verkeer om. De hoofdstraat zag zwart van het volk en de lucht was vol van het getoeter van wagens. Ik draaide het raam open, leunde achterover en wachtte met de mengeling van ongeduld en gelatenheid die Willem me had bijgebracht terwijl ik in het stationsbuffet of het café tegenover de bushalte waar hij zou afstappen het geroezemoes beluisterde, me liet drijven op het geroep van de obers die bestellingen doorgaven aan de keuken, en zorgvuldig vermeed om niet te vaak een blik te werpen op de klok, die even traag bleef tikken en me met elke slag iets meer zoek leek te maken.

Families op hun paasbest schoven tussen de bumpers van de wagens door. Jochies op fietsen schoten rinkelend over het voetpad en remden abrupt toen de agent een teken gaf dat ze moesten afstappen.

Ik klemde mijn handen om het stuur, ging verzitten. Ik wilde Willem zien, zijn vader, zijn moeder, om het even, en kon een plotse vlaag van paniek amper bedwingen.

De agent floot en spreidde de armen. De wagens voor me kwamen in beweging.

Ik reed langs de markt om, de heuvel op, het bos in, parkeerde de wagen in de berm naast de oprijlaan, liep naar de voordeur onder de uitgebloeide kamperfoelie en belde aan.

Er kwam niemand opendoen.

Ik wachtte een minuut, probeerde het nog een keer en stond al bijna weer op straat toen iemand mijn naam riep.

Het was Katrien.

Ik keerde met lood in de schoenen terug, niet wetend hoe ik haar moest begroeten, maar ik zag dat ze de deur liet openstaan en terug het huis in liep.

Ze zat in een van de lederen zetels bij het grote raam, met haar handen over haar opgetrokken knieën. Op de salontafel stonden lege kopjes, een schaal met koekjes, onaangeroerd.

'Ze zijn er niet,' zei ze. 'Ze zijn daarnet vertrokken met

mijn tantes. Ik wilde alleen zijn.'

'Als ge liever hebt dat ik een andere keer terugkom,' mompelde ik.

Ze schudde het hoofd. Legde een van haar lokken achter haar oor. ''t Geeft niet.'

Ze stond op, stak haar handen in de zakken van haar broek en ging bij het raam staan dat uitkeek over het gazon, de oude glijbaan, de dansende vrouw, onverschillig in haar felle vrolijkheid.

'Wanneer is het gebeurd?' vroeg ik.

'Gisteren, rond vijven. Om halfzeven stond de politie aan de deur.'

Ze liep weg van het raam, stapelde de kopjes op een dienblad. 'Ze brengen hem vanavond over. Ik weet niet hoe lang ze weg zijn.'

Ze nam het dienblad op en liep naar de keuken. Ik hoorde haar een kraan opendraaien, de kopjes onderdompelen.

Ik durfde niet op te staan. Mijn gedachten raasden door mijn kop, schreeuwden tegen elkaar op, probeerden me te sussen. Hij is ergens vanaf gevallen. Niks ergs. Hij heeft zich opgesloten in de badkamer. In een van zijn driftbuien met deuren geslagen, de sleutel is in het slot gebroken. Hij is van huis weggelopen. In een veel te hoge boom geklommen. Ze moeten hem met brandladders bevrijden. Hij klampt zich aan de takken vast en roept: 'Laat me allemaal met rust.'

Ik verbeet mijn tranen, liep naar de keuken, nam een handdoek van het haakje bij het aanrecht en begon af te drogen.

''t Is niet nodig,' zei Katrien afwezig.

Ze had haar moeders rubberen handschoenen aangetrokken, pijnlijk roze.

Ik zag dat ze verbeten de borstel over de borden dreef, ze in het spoelwater keerde en keerde.

'Anton…'

'Ja?'

Haar handen verdwenen in het schuim, zochten naar bestek op de bodem van de vaatbak.

'Ik heb het altijd geweten.'

Ik voelde mijn middenrif verstrakken, hoorde mezelf onnozel vragen: 'Wat bedoel je?'

'Ik ben niet achterlijk.'

Ik nam een kopje uit het druiprek. 'En zij?' vroeg ik, doelend op haar ouders.

Ze hield even op met schrobben en staarde wezenloos naar de bloeiende basilicum op de vensterbank boven de kraan.

'Mijn moeder misschien. Ze zei altijd: ik krijg geen hoogte van die jongen.'

'Hij was nogal gesloten,' zei ik.

Er verscheen een vaag lachje om haar mond. 'Van u, bedoelde ze.'

Ik wist niet welke houding ik me moest geven, hield het kopje tegen het licht alsof het een glas was en vroeg: 'Wanneer?'

'Zaterdag waarschijnlijk. Ze moeten nog van alles regelen voor de crematie.'

Ze trok de handschoenen uit en nam het kopje uit mijn handen.

''t Is droog genoeg,' zei ze en stapelde het met de rest in

een kast boven het aanrecht.

Ik leunde met mijn kont tegen de rand van de keuken-tafel en sloeg mijn handen voor mijn ogen.

Ze riep mijn naam. Haar stem brak.

Ik hoorde haar naar buiten lopen

Toen ik tot bedaren was gekomen, zat ze weer op de bank bij het raam.

'Sorry,' zei ik.

Ze schudde het hoofd. Stak een sigaret op. 'Ga naar bo-ven.'

Ik keek haar vragend aan.

'Neem iets mee. 't Geeft niet wat.' Ze knikte in de rich-ting van de trap.

De dekens lagen nog opengeslagen, in het kussen stond nog vaag de afdruk van zijn hoofd. Op het nachtkastje glommen een paar van zijn armbanden als hoepels om een kitscherig Mariabeeld uit Lourdes. Zijn polshorloge lag zacht te tikken, hij moest zoals zo vaak vergeten zijn het om te doen.

Op het tapijt naast het bed twee paar oude sokken, een slipje of drie en een onderhemd, in een slordig spoor naar de wasmand achter de deur. Op zijn bureau, onder het raam, lag een leerboek anatomie. Ik klapte het dicht.

Tegen de ruggen van zijn boeken op de schappen foto's van het zomerkamp waar hij met een jongen die Koen heette geflirt had en daarna, op de laatste avond bij het kampvuur, een meisje zodanig om zijn vingers had gewon-den dat ze nog drie maanden nadien om de week geparfu-meerde brieven had verzonden. Op de groepsfoto, genomen onder aan een duin in de Kempen, kijk ik bokkig voor me uit. Hij slaat proestend een arm om mijn middel, schudt me door elkaar, rukt me uit al mijn samenhangen los.

Ik schoof zijn stoel achteruit en ging zitten. Er welde een intens verlangen in me op mijn kleren uit te trekken, in het bed te kruipen, de dekens dicht rond mij te trekken, in de rimpels van het onderlaken zijn gestalte op te diepen, mijn hoofd te begraven in het kussen om de laatste resten van zijn lucht in me op te zuigen en dan te slapen, droomloos en diep te slapen.

Ik nam de foto's van het schap en stak ze in mijn achterzak.

'Iets gevonden?' vroeg Katrien toen ik de trap afliep.

'Ik ga u laten,' zei ik.

Ze liep voor me uit, trok de voordeur open, ging op haar tenen staan en gaf me een zoen.

Toen ik het erf opreed zag ik de auto van Roland onder de beuk staan. Ik ging naar binnen, trok in de gang mijn schoenen uit en wachtte bij de deur van de eetkamer. Ik hoorde mijn neef luid pochen over een of ander zaakje en mijn vader geamuseerd lachen.

'Hoe was het daar?' vroeg mijn moeder toen ik binnenkwam. Ze zaten gedrieën aan het avondeten.

'Hoe het was daar… Triestig natuurlijk.'

Ze schonk mijn kop vol. 'Ge hebt ze toch van ons gecondoleerd?'

'Ze waren niet thuis. Alleen de dochter.'

Ze schoof de broodmand naar me toe. 'Neem.'

'Ik heb niet veel honger.'

''t Is altijd een rare geweest,' zei Roland. 'Hij moest toch altijd opvallen, die gast. Allemaal daar, eigenlijk. Dat huis alleen al, wie woont er nu in zoiets?'

'Gij vindt alles raar, gij,' zei ik.

'Kinders…' suste mijn vader.

'Ge moet nog kijken welke kleren ge wilt meenemen,' zei mijn moeder. 'Laat de rest liggen. Ik pak ze wel in.'

'Ik doe het straks wel.'

Ik ging naar boven.

Roland bleef om meubels te helpen versleuren, de laatste kasten, de trap af naar het achterhuis.

'Pas op voor de plint,' hoorde ik mijn moeder roepen. 'Zie dat ge de muur niet schendt. Anton, ge zoudt beter wat helpen.'

Ik reageerde niet.

'Het gaat wel,' zei mijn vader. 'Laat hem maar.'

Ik trok mijn posters van de muur, ze waren allang verschoten en deden me al te zeer denken aan school. Hier en daar gaf het behang mee. Eronder kwamen flarden bloot te liggen van mijn kinderkamer. Lichtblauwe wolkjes, citroengele kanaries, glimlachende vliegtuigjes met propellers op hun snoet.

Ik propte de posters in de papiermand, klapte de wandkast open, maar kon me er niet toe brengen door mijn hemden en truien te gaan snuisteren, er hing te veel in hun weefsel dat geen wasbeurt kon ontvlekken. Ik liet de deur weer dichtvallen.

De anderen zaten buiten op de bank bij de gevel. Er werden flesjes ontkurkt.

'Moet gij ook iets hebben?' riep mijn moeder.

'Nee, ma. Laat mij gerust.'

De spreeuwen kwamen terug, zwermden in sluiers om de kruin en landden. De takken ruisten als bij een zware regenbui.

'Ik kan mij daar zot op kijken,' hoorde ik mijn vader zeggen.

Ik stond op, kleedde me uit, zocht mijn eigen warmte in de lakens, draaide me op mijn zij en luisterde naar de vogels tot ik insliep.

3

Ik was weer klein en zat in mijn kinderstoel aan het hoofd van de tafel, buiten onder de beuk. Het was een regenachtige dag, betrokken. Middag of avond, dat was niet duidelijk. Maar de grijsheid, het kon elk ogenblik gaan druilen, strookte niet met de uitgelaten stemming om me heen.

Ik zag mezelf met mijn lege melkbeker op het blad van de kinderstoel slaan, op hetzelfde ritme klapten Alice en tante Odette in de handen. Ik herinner me de verwondering omdat de behaaglijkheid die ik zo lang had ontbeerd me plotseling weer omhulde, een warme jas, een dikke deken, en de verrukking de witte lokken van de tantes weer opgetuigd te zien, met kammen van schildpad boven hun oren en geheimzinnige spelden, met robijnen bezette hagedisjes opklimmend over het dure zwart van hun blouses.

Mijn vader zat gemoedelijk te praten met Michel, die zijn wandelstok over de rugleuning van zijn stoel had gehangen. Ik voelde het gekwispel van de hond tegen mijn voetzolen onder tafel. Pas toen ik het gezelschap overschouwde, over leeggegeten schotels en beduimelde glazen heen alle gezichten afliep, iedere keer even blij ze terug te zien, zag ik aan het andere eind Willem zitten. Hij droeg een donker pak en liet zijn glas hard tegen dat van Flora klinken. Ze schaterden.

Toen viel zijn oog op mij. Hij knikte, knikte, en hief het

glas in mijn richting. Ik zag hoe hij me lachend iets toeriep. Zijn lippen prevelden alsof hij vroeg: 'Versta je me. Versta je mij niet?'

Hij schudde het hoofd. Flora hield de fles bij zijn glas.

'Willem,' riep ik, maar tante Odette legde haar hand op mijn arm.

'Eet voort,' siste ze. 'Eet voort.'

Ik trok mijn arm los, ging rechtop staan in mijn stoel, riep nogmaals zijn naam. Ik zag zijn lippen bewegen, riep dat hij luider moest spreken. Hij keek me geërgerd aan.

'Haast u,' zei tante Odette. ''t Wordt koud.'

Ze bracht een lepel soep naar mijn mond waar geen einde aan leek te komen, hoe snel ik ook dronk.

Om me heen hoorde ik mensen opstaan, stoelen dicht-klappen. Er vielen regendruppels op mijn armen. Iemand trok me mee. Ik stribbelde tegen en leek te vallen.

Ik werd wakker aan de rand van mijn bed. Buiten lichtte aan de horizon bliksem op. Ik stond op, sloot het raam en liep naar beneden.

Mijn moeder zat aan tafel in de keuken, onder het knip-perende licht van de lamp.

'Kunt gij ook niet slapen?' vroeg ze. 'Ik word juist mijn moeder. Die sliep ook niet meer als ze ouder werd.'

Ik liep achter haar om naar de kast, op zoek naar een theemok. 'Moet gij ook wat melk?'

'Ja, maar niet te veel.'

Er zaten nog wat chocoladekoeken in de ijzeren trom-mel. Ik zette hem op tafel.

''t Is door die jongen, zeker?'

Ik knikte, beet op het binnenste van mijn wang, doopte een van de koeken in mijn melk.

'Ma?'

'Ja, jongen?' Ze trok haar neus op. Het licht van de lamp tekende de rimpels in haar ooghoeken nog scherper af dan anders.

'Nee, niets eigenlijk.'

Ze nam een slok. 'Uw pa ligt weer te snurken. Die legt zijn kop neer en is vertrokken.'

Ik keek naar haar neus, net als de mijne maakte hij een kleine knik halverwege, naar haar lippen, die zich altijd samenpersten en weer ontspanden wanneer ze zat te mijmeren, alsof haar gedachten even aan haar spieren trokken. Mijn moeder. Ze kreeg last van knobbels in de gewrichten van haar vingers. Opereren hielp niet. Ze keerden altijd terug. Ik keek naar haar grijsblauwe ogen, de restjes mascara op haar wimpers en dacht: Je kent me niet. Je bent mijn moeder, maar je kent me niet. Je hebt me uit je lijf geperst. Ik heb als een klonter in je aders gehangen, je figuur voor de rest van je leven verpest, en je kent me niet. Je hebt mijn kont schoongewreven, mijn billen bepoederd. Mijn hemden gestreken. De vlekken in mijn lakens als brieven gelezen. Me omzwachteld, gekamd, verdoezeld, verschoond. En je kent me niet.

'Ik zal blij zijn als we hier weg zijn,' zei ze.

Het onweer was afgedreven. Ik schudde de lakens op, maar kon de slaap moeilijk vatten. Tegen de ochtend werd ik wakker uit een flard van een droom waarin ik met enkele klasgenoten en meneer Bouillie aan de toog hing in een café op de markt in Ruizele. De stemming was vrolijk, tot de deur openging en Willem in een vloed van licht poedelnaakt naar binnen wandelde.

'Wat komt gij hier doen?' riep ik verbijsterd.

Hij stuurde me een van zijn hautaine grimasjes, klopte wolkjes witte as van zijn schouders en zei: 'Ik ben terug. Ik heb me bedacht.'

Roland zat met mijn moeder aan het ontbijt toen ik naar beneden kwam.

'Er is een brief voor u gekomen,' zei ze.

Ze had hem naast mijn bord gelegd. Ik herkende het logo van de school. Een bloeiende boomtak verstrengeld rond de woorden *Sint Jozef*.

Ik scheurde de omslag open en las zijdelings wat er stond: 'Smartelijk ongeval… Vroegtijdig weggerukt. Diep medeleven met de ouders… U verzoeken om klassikaal de rouwdienst bij te wonen, als passend eerbetoon voor een gewezen studievriend.' En of we honderd francs wilden meebrengen om bij te dragen aan de rouwkrans.

Ik scheurde de brief in vieren.

Mijn moeder schrok. 'Ge gaat er toch naartoe?'

'Ik ga wel alleen. Ik zal aan pa de auto vragen. Hij moet zaterdag toch niet werken, met de verhuis.'

'Het staat in de gazet,' zei Roland. 'Het is aan de zee gebeurd. Hij kwam van familie, geloof ik.'

'Zijn tante,' zei ik.

'Als ge die foto ziet, van die camion, en dat fietske van hem. Hij ziet er waarschijnlijk lief uit.'

'Ik wil hem gaan groeten,' zei ik. 'Ze hebben hem gisteren overgebracht.'

'Wacht tot uw vader thuis is,' zei mijn moeder. 'Hij kan u brengen.'

'Ik wil niet wachten tot vanavond. Ik zou liefst nu gaan. 't Zal er rustig zijn.'

'Ja,' grinnikte Roland. 'Dat zal wel.'

Ik keek hem vernietigend aan.

Hij slikte, dronk zijn kop leeg, zei toen schuldig: 'Allez, 't is goed. Ik zal u wel brengen.'

Het voorportaal van de dood. Een laag paviljoen met glazen ingang, rozenperkjes en op een bord, boven bloeiende lavendel, in neutrale letters: Mortuarium.

Een hal met glanzende granieten tegels. Achter de balie een juffrouw, bescheiden opgemaakt. Naast haar een telefoon. Op aanvraag van elke nabestaande belt ze even naar het zaaltje waar de doden op ongemakkelijke stoeltjes zitten, in oude tijdschriften bladeren en nietszeggende praatjes maken over het weer.

'Ik kom voor De Vries,' zei ik. 'Willem de Vries.'

Achter mij liet Roland de tippen van zijn schoenen over de tegels slieren.

De juffrouw begon in een register te bladeren, nam de telefoon op en draaide een intern nummer. Ze vroeg of we even wilden wachten, daar, in dat kamertje aan de overkant.

Ik hoorde haar gedempt in de hoorn praten, op een bezwerende toon. Het leek alsof ze hem zelf aan de lijn had, hem vroeg zijn haar te fatsoeneren, het niet te dol te maken, beleefd te zijn. Nee, die strip moest hij laten liggen. Hij mocht straks wel verder lezen.

Er hingen etherische foto's van parklandschappen tegen de wand van de wachtkamer. Op een tafeltje een stapel meditatieve lectuur.

Gedachten bij de groeve

Zijt Gij het, Heer?

Op de omslag een gestileerde hand, een met doornen gekroond hart, daarachter vlammen: Zie, Ik maak alles nieuw.

Roland stond met zijn rug naar mij toe door het raam naar de parkeerplaats te kijken.

Op de gang liep volk voorbij. Gesnotter. Jassen werden dichtgetrokken. Ik hoorde de juffrouw aan de balie professioneel haar medeleven gonzen.

'Zij zijn het,' zei Roland. 'Ik zie die zuster van hem. Hoe heet ze? Katrien...'

Hij draaide zich om en liep weg van het raam.

De juffrouw kwam ons halen en liep tot bij een lange gang. 'Zesde deur rechts,' zei ze en liet ons alleen.

Uit geluidsboxen in de zoldering dreunde zachte treurnismuziek. De deuren waren vaalblauw, de klinken in parelgrijs plastic lieten de beschaafde neutraliteit van dokterskabinetten uitschijnen, alsof de doden zakelijk achter een bureau hun verwanten opwachtten, de handen op het tafelblad vouwden, vriendelijk grijnsden en zeiden: 'Ik was net de radijsjes aan het begieten. Het begon hier, in mijn borst. Wil je iets drinken?'

Zesde deur rechts. De moed zonk me in de schoenen. Mijn hart klopte in mijn keel.

Roland bleef dralen. Zijn ogen lichtten angstig op in de schemering van de gang. 'Als 't voor u niet geeft, blijf ik liever buiten wachten.'

Hij ontweek mijn blik: 'Ik kan daar niet goed tegen, eerlijk gezegd,' en liep door naar het eind van de gang, waar een potplant stond te verpieteren. 'Ik kan er ook niets aan doen.'

Hij, de kattenkiller. De vlindermoordenaar.

Ik duwde de deur open. Uit de zoldering kwam dezelfde treurnismuziek, die scheen te moeten verhullen dat de doden mogelijk nog ademden, laatste resten lucht uitbliezen, als bellen uit een zinkende fles.

Ze hadden hem al in de kist gelegd. Paarse doeken lagen over zijn buik gedrapeerd. Daarboven zijn handen, klompen in windsels. Ze hadden hem in een vaalwit hemd gestoken, zoals hij er zelf nooit een zou gedragen hebben. Ook niet tijdens de examens, toen hij puur om de leraren te pesten in confectiezaken de lelijkste Hawaï-hemden kocht en even afzichtelijke dassen. De stof leek de vorm van zijn romp niet te volgen, maar stond er strak overheen en wekte de indruk dat zijn borstkas met planken werd bijeengehouden.

Zijn mond was dichtgebonden met een verband om zijn kin. Van zijn blonde lokken viel haast niets te zien en zijn wangen, zorgvuldig gepoederd, verrieden in het zachte schijnsel van de spot die hem potsierlijk belichtte blauwe builen en schrammen.

Zijn wangen stonden bol, zijn lippen gezwollen als de mond van een riviergod op een antieke muurfontein. Er stonden rimpels in zijn voorhoofd, hij fronste licht zijn wenkbrauwen alsof hij diep nadacht over wat hem overkomen was en het zelf ook niet kon geloven.

Op een sokkel, aan de voet van een vaas met aronskelken, stond een glas wijwater met een palmtak erin. Ik stelde me even voor hoe hij geprikkeld met zijn ogen zou knipperen wanneer de druppels op hem neerkwamen, overeind zou komen, het verband zou wegtrekken en met de handen in de heupen kwaad zou roepen: 'Zeg jongen, wat is er nu eigenlijk?' Wat hij altijd deed wanneer ik me koppig van hem afkeerde en me overleverde aan zelfbeklag omdat ik me weer tekortgedaan voelde.

Er werd zacht op de deur geklopt. Erachter hoorde ik Roland kuchen en met autosleutels rammelen.

Ik veegde mijn tranen weg, boog voorover en zette mijn lippen op Willems voorhoofd. De kou was onverdraaglijk.

Ik liep naar buiten, trok de deur achter me dicht en liet hem verder denken.

4

Dit lichaam, het zou het lichaam van een vreemde kunnen zijn. Als het in winkelramen of spiegels niet zo slaafs al mijn bewegingen volgde en bij elke scheerbeurt steeds meer trekken van mijn vader blootgaf, ik zou het vragend in de ogen kijken: Ken ik je niet? Ik weet zeker dat ik je al eerder gezien heb.

Het blikt me even gesloten aan als destijds de gevel in de zomer, met de luiken dicht, en boven, onder de pannen, schimmen als kinderen die niet willen slapen, met kussens gooien en lang na bedtijd over de planken drentelen.

Willem zou nu naar de veertig gaan. Kalend als zijn pa misschien, of licht mollig als zijn moeder zou hij zich gezapig in zijn ruimer zittend lijf genesteld hebben, wankel maar warm als een doorgelegen sofa.

In de dood is hij negentien. Net van school af. Rijbewijs gehaald. Trots op zijn eerste auto. Als je die ginds, in dat oord zonder echo of antwoord, tenminste nog nodig hebt.

Mijn moeder moet de foto uit de krant hebben geknipt, ik heb hem zelf nooit weggegooid. Hij slingert rond in boeken en glijdt soms uit de vellen in mijn schoot. De fotograaf heeft niet zonder zin voor drama het moment vastgelegd waarop de truckchauffeur door de politie wordt weggeleid. Er staan combi's, een ambulance. Een vrouw uit de buurt kijkt met haar handen op haar wangen naar het witte laken in de berm waar een sportschoen onderuit komt, een stuk van een broekspijp, het zwaar verwrongen stuur van de fiets, deels verborgen achter de wielen van de truck.

Het kan hoogstens een halfuur eerder gebeurd zijn. Het lichaam is nog niet vrijgegeven, het parket moet nog de laatste vaststellingen doen. Iemand heeft hem inderhaast bedekt met het wit van een kraambed of doopkleed.

Ik heb me lang niet durven voorstellen hoe hij erbij moet gelegen hebben, ondanks de staat waarin ik hem de laatste keer gezien heb. Ik blijf de illusie koesteren dat hij languit op zijn rug viel, net als vrijdags na school, op het gras in de tuin van zijn ouders, met dat jaloersmakende gemak waarmee hij de ene wereld voor de andere ruilde en vergat. De tijd heeft hij miraculeus opgeschort, zoals die paar seconden van volstrekte concentratie vroeger tijdens de zwemles, voor hij van de duikplank in het diepe sprong en het water hem als een kelk ontving.

Er zijn nog nachten dat ik van hem droom, steeds vaker zonder beelden, maar dat lichaam is onmiskenbaar het zijne. Zijn armen trekken me naar zich toe. Zijn buik haalt rustig adem in de holte van mijn rug. Ik voel weer de verrukking wanneer hij me broos maar stevig omvat, om dan wakker te worden in dezelfde leegte als die zaterdag, toen Roland in alle vroegte het erf opreed.

Hij had een vrachtwagen gehuurd om de zwaarste stukken te vervoeren. Ik had amper geslapen, toegekeken hoe de dag zich even traag als anders opende, de muren losweekte uit de duisternis en alles bekleedde met het intense rood van een ochtend in de vroege herfst, hardvochtig in zijn vredigheid.

Ik was opgestaan, had mijn neef uit de stuurcabine zien

springen. Hij had een bruine overal dichtgeritst en fluitend de laadbak ontgrendeld. Mijn moeder was wakker geworden. Ik hoorde haar met haar droge ochtendhoestje voorbij mijn kamer naar beneden gaan. Wat later dreef de geur van koffie vanuit de keuken door de grotendeels leeggehaalde vertrekken.

Ze zagen dat ik treurig was. Terwijl Roland zat te kwekken over welke spullen eerst in de wagen moesten en of er wel dekens waren en touw genoeg, zat ik afwezig naar het tafelblad te staren, verbijsterd omdat alles gewoon maar doorging, niets de moeite nam om, al was het maar even, de adem in te houden. Ik kreeg amper een hap door mijn keel.

Aan de stilte achter mijn rug toen ik weer naar boven ging, wist ik dat mijn vader zijn hand op die van mijn moeder legde, haar aankeek en waarschijnlijk, wanneer ik de kamer uit was, een diepe zucht zou slaken.

Ik zat op de rand van mijn bed. Ik hoorde mijn moeder door de kamers scharrelen, hier en daar een doos opentrekken, er doelloos in rommelen en ze weer dichtdoen.

Ze duwde de deur open en zei: 'Ik zal nog rap een kostuum voor u strijken. Is 't goed?'

Ik proefde haar onbeholpenheid en knikte.

'Ik zal dat grijze nemen. Dat staat u zo schoon. En doe uw zwarte schoenen aan, ik heb ze gepoetst. Die passen er beter bij dan uw bruine.'

Ik liep naar de badkamer, voorbij Roland en mijn vader. Ze droegen een stuk van het dressoir door de gang naar buiten. Roland voorop, en mijn vader die rood aangelopen vroeg of hij niet wat trager over de drempel kon stappen.

Ze had een handdoek extra laten liggen, op het schap onder de spiegel een fles reukwater gezet.

Ik draaide de kranen open, gaf me over aan het gesuis van de leidingen, het gegorgel wanneer af en toe lucht doorkwam, goot zeep in de tobbe en liet het water schuimen.

Mijn lijf, het zocht geen houvast tegen de tegels op de muur toen het over de badrand stapte, zich neerliet en huiverde op het moment dat de warmte kippenvel over mijn armen joeg.

Ik strekte me uit. Liet me onder water glijden, hoorde mijn huid tegen de wanden schuren.

'De eerste lading kan weg,' riep Roland beneden. De deuren van de laadbak werden dichtgeklapt. De motor startte, het geluid vervaagde over de dijk.

Ze moesten de kist gesloten hebben. Gisteravond, vannacht misschien, wie weet op dit eigenste ogenblik stonden ze toe te kijken, zijn vader, zijn moeder, Katrien, hoe het deksel een schaduw over zijn voorhoofd wierp, zonder dat zijn omzwachtelde handen het poogden af te weren.

Ik probeerde even roerloos te blijven liggen, het water als een schild boven mij, en luisterde naar mijn hartslag, tot mijn lijf me onverhoeds naar boven stuwde, me met een plons overeind deed komen, en met een overgave die me vergruwde de longen volzoog.

Ik stond op en trok mijn badjas aan. Ging voor de wastafel staan. Maakte mijn wangen vochtig. Wreef er scheerzeep over uit. Vatte het mes in mijn handen.

In de spiegel zag ik een grijsaard met een sneeuwwitte baard. Een lijf dat zich leek te oefenen in oud en kromgetrokken zijn, ergens op een gang in een tehuis, de kamerjas niet dichtgeknoopt, voortsjokkend op klamme toffels, wrokkig en sakkerend op de verpleegsters die te laat zijn met het ontbijt. In zijn ogen een nuchterheid die met de jaren al wat voordien onbevangen in die irissen spartelde futiel heeft gemaakt.

Ik zag Willem voor mij. Voelde hoe ik kwaad werd. Je hebt mij bestolen, dacht ik. Mijn dagen als brieven in je binnenzak gestoken en straks gooi je jezelf als een oude handtas in het vuur.

Ik was zo goed als klaar toen er op de deur werd geklopt en mijn vader mijn naam riep.

'Kom maar,' zei ik. 'Ik heb toch bijna gedaan.'

Hij had zijn onderhemd over zijn schouder geslagen en zweette als een rund.

'Die kerel denkt zeker dat ik nog twintig ben,' lachte hij.

'Spoel u maar af. Ik wacht wel.'

Ik ging zitten op de plee, keek voor me uit, wiegde mijn bovenlijf heen en weer. Ik voelde mijn ballen krimpen, mijn maag zich samenknijpen.

Ondanks alles kreeg ik honger. Ik zou een snee brood naar binnen werken. Kakken voor ik naar buiten ging. Me vanavond weer wassen. Wie weet hoe vaak nog mijn nagels knippen. Mijn oksels droogdeppen. Mijn tanden poetsen. Vinden dat ik veel te grote oren heb. Iedere keer weer. Twee keer per dag de kleine ergernissen van het oudste huwelijk uit mijn geschiedenis.

'Anton?'

Mijn vader stond zich af te drogen.

Ik keek op.

Onze blikken kruisten elkaar in de spiegel.

'Het zal moeten slijten,' zei hij.

Ik voelde mijn ogen schrijnen.

Hij hing onwennig de handdoek op het rek. Kwam op me toe, zweeg en nam mijn kin in zijn handen.

'Er zit niets anders op.'

''k Weet het.'

Hij probeerde een luchtiger toon aan te slaan. 'Het minste dat ge voor die jongen kunt doen is u proper scheren.'

Zijn duim streek over mijn kaak, mijn onderlip.

'Ge staat nog vol plukken.'

Hij maakte zijn handen nat, nam de tube scheerschuim van het schap en legde een nieuwe laag op mijn gezicht.

'Hef uw kin op.'

Hij draaide met zijn vingertoppen mijn hoofd naar rechts en legde het mes op mijn wangen.

'Gewoon meegaan met de stroom. De lijn van uw wezen volgen. Dan zult ge u niet rap snijden.'

Zijn vinger streek ergens onder mijn oorlel, toonde me een druppel bloed. Hij zocht in zijn zakken naar sigarettenblaadjes om het te stelpen.

'Ik doe er straks wel reukwater op,' zei ik.

Hij klopte het schuim af, hield het mes onder de kraan, keerde terug. Ik zag zijn ogen aandachtig zijn vingers volgen.

Er zou een dag komen waarop ik hem zaken moest vertellen die hem even oppervlakkig zouden kwetsen als een scheermes, maar de wonden zouden langer blijven prikken. Een dag waarop ik hem zou achterlaten vol vragen die als oude muggenbeten zouden gaan jeuken telkens wanneer hij me met een lege wagen de voortuin zou zien oprijden, zonder kinderen uit te laten die ik als bloemenkransen om zijn schouders kon hangen, en met de knagende onzekerheid in zijn borst of hij niet te veel of te weinig tegen me zei, terwijl zijn stiltes heelder bibliotheken bevatten, meer dan genoeg leesvoer voor de rest van mijn bestaan.

Ik bekeek hem terwijl hij het scheermes weglegde en zijn handen onder de kraan hield. Zijn buik hing ruim over zijn broeksriem. Het haar op zijn borst leek dunner te worden. Hij was een mooie gemarmerde kiezel, alle scherpte afgerond, hij glom in het zonlicht. Het enige wat hij moest doen was in mijn handen liggen. Ik zou goed voor hem zorgen.

Hij schudde het water uit zijn vingers.

'Nu ziet ge 'r tenminste toonbaar uit,' zei hij. 'Was het schuim maar uit uw oren.'

Ik liep langs hem heen naar de wastafel. Boog voorover.

Hij legde zijn hand op mijn rug.

Toen ik opkeek had hij de kamer verlaten.

Het grijze pak lag klaar op het voeteneind van mijn bed. Het trok de misplaatste verwachting van vrolijkheid door me heen toen ik mijn armen in de mouwen van het jasje stak, het geroezemoes van bruiloften of tuinpartijtjes, en maakte door de ingenaaide epauletten mijn schouders twee keer stoerder dan ze waren.

Ik trok mijn schoenen aan. Eerst een lusje maken, dan de tweede veter eromheen en doortrekken tot een strik. Ik zag mezelf weer in het kleedhok zitten, in de gymzaal op school, met naast me Willem die zich vrolijk maakte om mijn schaamte en toonde hoe het moest.

Mijn moeder kwam me tegen in de gang.

'Ik heb die blauwe plastron van uw pa genomen.'

Ze zette de kraag van mijn hemd recht en legde de das om mijn nek.

Ik voelde me mijn vader worden. Even slank als die dag in oktober, bijna dertig jaar eerder, toen hij met mijn moeder aan zijn arm door het kasteelpark stapte en toekeek hoe haar sluier opging in de nevel boven het gras aan de vijverkant. Ze worden met de dag jonger op die foto.

Ik begon te rillen, was bang dat ik op mijn knieën zou vallen, straks, als de kist achter een dichtschuivend gordijn de oven in gleed.

'Ma, waarom gaat ge eigenlijk niet mee?' vroeg ik, en ik had er meteen spijt van.

Ik zag haar op haar onderlip bijten terwijl ze mijn kraag weer in de plooi trok en de das onder mijn onderjasje schikte.

'Anton, wat moeten wij daar gaan doen? We kennen die mensen niet.'

Ik zag haar schaamte. Zijn vader was architect. Waneer mijn vader soms noodgedwongen nabij 'betere mensen' moest verkeren, leek hij zich als een krant dicht te vouwen en zichzelf achteloos achter te laten op de zitting van een stoel.

'Laat maar,' zei ik.

Ze ging achter me staan om en trok een kleerborstel over de rug van mijn jasje.

'Proper is proper.'

Ik liep naar beneden.

'Hier,' zei mijn vader. Hij gaf me de sleutels van de auto.

Ik ging naar buiten. Stapte in. Startte de motor, draaide de wagen onder de beuk en reed naar de poort.

Mijn moeder stond op de drempel en gaf een teken dat ze nog iets wilde zeggen.

Ik draaide het raampje open.

Ze leunde naar binnen, stak een rouwkaartje in mijn borstzak.

'Vergeet het niet af te geven.'

Ze legde het haar op mijn voorhoofd goed.

'Hoe laat zijt ge thuis? Ik zal wat eten overhouden.'

''t Is goed, ma.'

'Het zal natuurlijk ginder zijn.' Ze bedoelde in het nieuwe huis. 'Zie dat ge niet per ongeluk hier staat vanavond. Ik ken u.'

'Wees gerust.'

Ik draaide het raam dicht. Wuifde. Reed het erf af. De poort uit. De dijk op. Gaf gas.

In de spiegel boven het dashboard zag ik ze allebei in de berm staan. Mijn vader had een arm om haar middel geslagen.

Hij stak een hand op. Riep me nog iets na.

Ik keek toe hoe ze ingelijst kleiner werden, hoe de kruin van de beuk boven de stallen leek uit te groeien, en tenslotte, voor ik de snelweg opreed, alles verdween.